D0727219

NOTRE VIE ANTÉRIEURE

Anne-Sophie Brasme est née en 1984. Son premier roman, *Respire*, paru chez Fayard en 2001, a fait l'objet d'une adaptation cinématographique réalisée par Mélanie Laurent en 2014.

Paru dans Le Livre de Poche :

RESPIRE

ANNE-SOPHIE BRASME

Notre vie antérieure

ROMAN

FAYARD

ISBN : 978-2-253-06915-7 – 1re publication LGF

Promesse tenue.
À la mémoire de Michel Viel, mon ami.

Bon Dieu ! Comme elles m'ont ressaisi au moment où je sortais de cette chambre, les griffes de l'ancienne douleur, le désir de quelqu'un d'absent. Qui ? Tout d'abord, je ne le savais pas, puis, je me suis souvenu de Perceval. Je n'avais pas pensé à lui depuis des mois. Maintenant, ce que je voulais, c'est rire avec lui, rire de Neville avec lui, marcher avec lui, bras dessus, bras dessous, en riant. Mais il n'était pas là. La rue était vide.

Comme c'est étrange, la façon dont les morts se jettent sur nous au coin des rues, ou dans les rêves !

Virginia WOOLF, *Les Vagues*.

Vendredi 8 mai

Et voilà. Je vais écrire mon dernier livre. Je l'ai senti ce matin, comme une onde de choc. Un vacillement. La certitude qu'après cela, tout simplement, ce serait fini.

Il devait être à peine dix heures quand je suis sortie de la piscine. J'ai regagné ma voiture, les jambes tremblantes, et je suis restée là, dans l'habitacle, légèrement hébétée. Il m'a fallu un peu de temps pour mettre le contact. Sur le chemin du retour, j'étais très calme. Je suis rentrée à la maison, cela sentait encore le café dans la cuisine. Tristan allait partir. « Tiens, je t'ai déposé le manuscrit du dernier Dewran sur la table. Tu me diras ce que tu en penses », a-t-il dit en enfilant son imperméable. Puis il a ajouté, comme d'habitude : « Travaille bien. »

Sur la table du bureau, mes carnets sont encore ouverts. L'ordinateur est allumé ; une tasse de thé fume sur la table. Derrière le bow-window, les lilas chargés de pluie s'agitent sous le vent. D'ordinaire, c'est à ce moment précis que je me mets au travail. Après un réveil aux aurores, une heure de relecture, et très exactement cinquante longueurs à la piscine municipale. On ne se défait pas si facilement d'un rituel aussi coriace. Surtout lorsqu'il dure depuis plus de quarante ans.

Je regarde les dix-sept romans que j'ai écrits. Alignés devant moi : les collections blanches, les éditions de poche, les traductions. Proprement rangés comme des trophées sur une étagère. Je n'y touche pas ; je ne les ai même jamais rouverts. Si je prenais le risque d'en relire ne serait-ce qu'un passage, je sais que la première maladresse découverte suffirait à faire chanceler mon fragile équilibre. Alors, je les laisse là, immuables, silencieux. Leur présence me rassure. Ce sont eux, les jalons qui ont structuré ma vie. Quand on me demande pourquoi j'écris – question entendue un millier de fois –, je réponds toujours la même chose : je n'ai pas le choix. Sans cela, je me serais fissurée au premier coup.

Je ne suis pas un grand écrivain. Mon style n'a rien de révolutionnaire ; je n'ai pas non plus beaucoup d'imagination ; je n'ai même jamais été capable de m'engager pour quoi que ce soit. Une seule qualité m'a toujours servi : je suis tenace, et endurante. Chacun de mes livres m'a laissée à bout de forces, et souvent j'ai cru ne pas pouvoir recommencer – pourtant je l'ai fait. Avec toujours la même patience et la même énergie. J'écris comme j'accumule les longueurs à la piscine : je ne dévie pas de ma route ; je n'abandonne jamais. Chaque étape franchie me rend plus forte.

Mais, aujourd'hui, je l'ai sentie, cette minuscule secousse. Comme le premier grondement qui précède l'écroulement.

Je savais que, un jour ou l'autre, j'arrêterais d'écrire. Oh, bien sûr, ce n'est pas la première fois que je doute. Je vais bientôt avoir soixante-cinq ans; j'en ai connu, des chutes et des échecs. Et voilà, ça a fini par arriver : je me suis essoufflée. Lentement, sans crier gare, la fatigue m'a fait plier. Assise derrière mon stand dans les salons littéraires, j'attends, un peu lasse, que l'on vienne me demander une dédicace. Je suis passée de mode; mes lecteurs ont vieilli, comme moi; ils me restent encore fidèles, mais les jeunes ne me connaissent pas. J'ai passé l'âge de devenir célèbre. Mes livres se vendent honorablement, suffisamment du moins pour me permettre d'en vivre; mais, au grand regret de Tristan, je n'aurai jamais de grand prix littéraire. Je fais partie de ceux qu'un jour, sûrement, on oubliera.

Cela n'est pas bien grave. Je ne me suis jamais souciée de la postérité; et, contrairement à Tristan, je me fiche pas mal de mon image dans les sphères germanopratines. Mais il m'a fallu toutes ces années pour recevoir cette évidence en plein visage : écrire ne m'a pas rendue heureuse.

Bien entendu, j'en ai tiré beaucoup de satisfaction. Un peu d'orgueil aussi. Et quelques moments d'euphorie dans les périodes de grande inspiration. Mais du bonheur ? Non, jamais.

Je peux le dire maintenant, après toute une vie : je ne me suis pas accomplie dans l'écriture. Mes romans se sont accumulés sur l'étagère au fil des années; je les ai patiemment égrenés sur ma route, les uns après les autres. Mais aucun d'eux ne m'a aidée à vivre.

Comme c'est étrange aujourd'hui de regarder tous ces livres en face de moi, et de ne rien ressentir – absolument rien. Je suis écrivain depuis quarante ans, et c'est comme si je n'avais pas écrit une ligne de tout cela. Pourtant, j'en ai raconté, des histoires. J'ai vécu cent vies ; je suis morte cent fois. J'ai été homme, j'ai été femme. Mais aucune de ces existences n'a jamais pu s'imprimer en moi durablement. Sitôt le manuscrit terminé, les épreuves relues et le livre imprimé, tout cela glisse sur moi comme un vêtement qu'on retire à la fin d'une journée.

Alors je recommence, encore et encore, la même petite mécanique : sur un carnet tout neuf, je fabrique de nouveaux personnages ; je façonne les rouages de mon récit. Je suis douée pour cela ; je connais bien le métier, l'art de raconter, de mener le lecteur par le bout du nez. Mais tout ce que je fais reste à la surface de l'armure que je me suis construite. J'ai toujours pris soin de ne pas aller au-delà.

Pourtant, aujourd'hui, je sais que c'est le moment. Je suis trop vieille pour tricher. Cette fois, je ne prendrai aucun détour ; je ne me cacherai derrière aucun rempart. Je me contenterai de fermer les yeux, et de plonger au fond de moi – jusqu'à toucher du doigt ce qui, sous la coque dure, continue de battre imperceptiblement. Le souvenir de ce soir de juin, perdu quelque part dans une vie antérieure. Et cet été qui a suivi. L'été de mes vingt ans. Je revois des images, mouchetées, chatoyantes, qui tremblent en moi comme de vieilles diapositives. Ce sont elles que j'irai chercher. Pour la première fois de ma vie, je parlerai de moi. De ce que j'ai été, il y a longtemps.

Et maintenant, m'y voilà. Je vais ouvrir la première page de mon cahier tout neuf, et je vais me mettre au travail. Je ferai comme d'habitude : tous les matins, je me lèverai à l'aube, je relirai les notes de la veille en prenant mon petit déjeuner, puis j'irai nager mes cinquante longueurs à la piscine municipale. Et une fois sortie, comme lavée, purifiée, je m'installerai à mon bureau, devant le bow-window qui donne sur le jardin, et j'écrirai. Avec Tristan, je ferai comme si de rien n'était. Le soir, quand il rentrera, je lui dirai comme à chaque fois : « J'ai bien avancé aujourd'hui. » Je resterai consciencieuse, et méthodique. Rien ne laissera transparaître qu'au fond de moi, quelque chose a commencé à s'effondrer.

Chapitre 1

« Allez viens, m'a dit Anna, ce sera sympa. »

C'est comme ça, probablement, que tout a commencé. Une invitation à l'improviste au milieu d'une journée d'ennui. La perspective d'une soirée de détente autour d'un pique-nique, après une année de travail harassante. Et puis, surtout, ce soleil qui était venu me narguer toute la journée, cette promesse d'été soudain offerte, et qu'il aurait été indigne de ne pas saisir.

Alors, j'étais venue.

Je me souviens de ce soir de juin. De la lumière qui tremblait sur le canal. De ces pique-niqueurs étalés par centaines, avec leurs vieilles couvertures, leurs sandwichs et leurs alcools. Plantée au bord de la rive, j'avais mis plusieurs secondes à chercher la silhouette d'Anna au milieu de ce capharnaüm. Et soudain, je l'avais vue. Avec sa robe couleur corail et ses cheveux noirs roulés en tresse sur le côté.

« Ah ben te voilà, toi ! »

Elle marcha jusqu'à moi, ses pieds nus zigzaguant entre les nappes en désordre ; et je la revois, me tendant les joues, la main posée devant son front pour empêcher le crépuscule de l'éblouir.

« Viens, je vais te présenter. »

Je ne connaissais presque personne dans le groupe. C'étaient des gens qu'Anna voyait en dehors de la prépa, des amis de son petit copain, la plupart plus âgés que nous, et qu'elle avait réunis ce soir-là à la dernière minute, sans raison particulière. Anna, c'était le genre de fille à organiser des pique-niques sur des coups de tête, juste pour le plaisir de fêter l'été, au premier rayon de soleil. À réunir autour d'elle des gens qui ne se connaissaient pas et qui grâce à elle, peut-être, deviendraient amis.

Pendant deux ans, j'avais partagé avec elle ma chambre d'internat. En khâgne, nous étions à peu de choses près le même genre d'élèves : sérieuses, scolaires, mais de toute évidence pas assez brillantes pour espérer réussir le concours. Sans surprise, nous avions toutes les deux échoué aux écrits quelques semaines plus tôt. Mais tandis que j'hésitais toujours, incapable d'avoir une vision claire de mon avenir, Anna avait fait son choix : cet été, avant d'entrer à la fac, elle se fiancerait. Elle connaissait son petit ami depuis l'enfance. Il s'appelait Guillaume. C'était un jeune étudiant ingénieur, posé, réfléchi, et surtout très amoureux ; il avait fait sa demande le plus sérieusement du monde. Le mariage, bien sûr, n'aurait pas lieu avant la fin de leurs études, mais ils fêteraient leurs fiançailles début septembre, sur l'île d'Oléron, où la famille d'Anna possédait une maison de vacances.

Je me souviens d'elle ce soir-là, allant d'un ami à l'autre en leur resservant du vin et en les écoutant parler ; puis revenant se lover contre Guillaume, riant, offrant au soleil ses dents brillantes. Je l'imaginais déjà dans quelques années, sur la terrasse d'une grande maison, debout parmi ses invités, toujours aussi sereine et lumineuse. Car, malgré la surprise qu'avait créée autour d'elle l'annonce de ses fiançailles si précoces, je le savais : elle n'avait pas pris sa décision à la légère. Son engagement était pur, sincère ; et je ne doutais pas que, dans dix ans, je la retrouverais telle qu'elle était ce soir-là, fidèle à elle-même – solidement amarrée à la vie.

Mais quand je me regardais, moi, si immature, je mesurais le fossé qui nous séparait. À vingt ans, je n'avais aucune consistance. Je flottais. Comme suspendue au-dessus des choses. Aujourd'hui encore, je m'étonne d'avoir gardé de ces deux années de prépa si peu de souvenirs, même douloureux, comme si je les avais traversées sous anesthésie. Je m'étais contentée de travailler, sans appétence, n'ayant ni le génie de réussir, ni le cran d'abandonner. J'avais « tenu bon » ; j'étais arrivée au bout. Et ensuite ? En octobre prochain, comme bon nombre de camarades, j'entrerais à l'université ; j'étudierais les lettres ; d'ici trois ou quatre ans, j'enseignerais le français à de petits collégiens. Comme toujours, je franchirais toutes ces étapes sans me poser aucune question ; j'avancerais, docile, studieuse, aussi éteinte qu'un fantôme.

À de rares moments, pourtant, je prenais conscience de ce vide. Je le sentais m'envahir, s'enrouler en moi, presque voluptueux. Je me souviens de ces débuts de nuit à l'internat ; de ces bruits dans le couloir qui s'éteignaient peu à peu ; et de ce vertige qui montait doucement en moi lorsque, levant les yeux d'un livre, je me rendais compte du silence qui m'enveloppait. Pendant ce temps, derrière les murs, d'autres khâgneux s'acharnaient sur leur dissertation ; allongée sur le lit d'à côté, Anna, somnolente, pensait à son fiancé. Pour eux tous, la réalité était claire ; palpable ; elle tenait entre leurs mains, comme quelque chose qu'on peut saisir. Mais, pour moi, il n'y avait rien que ce vide. Cette absence au creux du ventre.

Ce soir-là, je m'en souviens, ce soir-là c'était cette même impression étrange qui s'emparait à nouveau de moi. Je voyais les pique-niqueurs, le désordre, les verres trinqués au-dessus de la nappe. Mais, peu à peu, la réalité devenait ondulante, presque liquide, comme si je la percevais à travers des yeux de myope. Depuis longtemps déjà, j'avais perdu le fil des conversations. Assise en tailleur, les yeux dans le vide, je n'arrivais pas à prendre part à la fête. Rien n'était capable de m'atteindre : ni le soleil, ni le vin, ni ces prémices d'été palpitant autour de nous. Lentement, je me laissais disparaître. Happée par le vertige.

« Désolée, Anna, je crois que je vais y aller… » dis-je en me tournant vers elle.

Mais elle ne m'entendit pas ; ses yeux tout à coup avaient rencontré autre chose. D'un bond elle se leva et courut vers deux jeunes hommes qui rejoignaient notre groupe.

Je les vis de loin s'approcher de nous, comme deux ombres à contre-jour. L'un d'eux, le plus petit, parlait en faisant de grands gestes, tandis que l'autre l'écoutait sans rien dire, en trimballant avec lui un vieux vélo qu'il faisait slalomer entre les couvertures des pique-niqueurs.

« Ah, tu es venu finalement ! »

Anna se précipita sur celui au vélo pour se jeter à son cou ; et puis elle se retourna et nous présenta fièrement Aurélien, son grand frère. Le garçon qui l'accompagnait était son meilleur ami. Sans que l'on sache pourquoi, tout le monde l'appelait par son nom de famille, Bertier.

Aurélien posa son vélo contre un arbre, et tous deux prirent place dans le cercle, Bertier à mes côtés. Je m'apprêtais à me lever et à reprendre le métro, quand quelque chose se passa. Alors que, jusqu'à présent, les conversations étaient restées dispersées autour de la nappe, les regards soudain convergèrent vers Aurélien : assis sur ses talons, les manches de sa chemise retroussées, il racontait comment Bertier et lui s'étaient un soir retrouvés au poste après avoir pissé derrière une camionnette de police garée sur les berges, non loin d'ici. Son ton simple et jovial s'imposait de lui-même. Il ressemblait à sa sœur. La peau blanche, presque laiteuse ; des cheveux noirs épais ; et comme Anna des lèvres pourpres, légèrement enflées, ourlées sur le dessus par un pli plus prononcé que chez la plupart des gens.

Anna m'avait déjà parlé de lui et de ses frasques. À vingt-deux ans, il avait brusquement mis fin à ses études de médecine pour s'accorder une année sabbatique, au désespoir de ses parents. Anna disait souvent de lui que c'était un noceur, jamais joignable bien entendu, et toujours fourré on ne sait où – mais, par ailleurs, infiniment doué quand il s'agissait de se mettre aux fourneaux ou de dégoter une bonne bouteille. Tout en le regardant, j'essayais de retrouver en lui ce que sa sœur m'avait raconté. Je m'étais imaginé un fanfaron ; et, en effet, il avait suffi qu'il arrive pour que l'ambiance soit tout à coup plus enjouée. Mais, après plusieurs minutes, il n'était pas difficile de comprendre qu'il y avait en lui quelque chose de plus profond que cela. Quelque chose – et je m'étonnai moi-même de l'adjectif qui me vint à l'esprit à ce moment-là – de presque solaire.

Bertier se tourna alors vers moi et me proposa un verre – du vin de Moselle, qu'il avait apporté avec lui et qu'il me promettait « exquis ». J'acceptai. Et la soirée reprit son cours.

Bertier était un garçon bavard et énergique, au corps trapu et aux joues rebondies. Il portait la barbe, et les boucles brunes de ses cheveux partaient dans tous les sens. Il était moins séduisant qu'Aurélien, à cause de sa petite taille et de son air encore enfantin. Il me raconta que tous les deux se connaissaient depuis le lycée ; qu'ils avaient quitté Metz ensemble après le bac pour mener à Paris une vie plus libre. Bertier venait de passer l'agrégation de lettres, qu'il avait ratée « lamentablement » et comptait retenter l'année prochaine. Quand je lui demandai s'il envisageait plutôt d'enseigner en lycée ou de poursuivre en thèse, il me répondit : « Ni l'un ni l'autre », comme si cela allait de soi, et ajouta qu'il voulait être écrivain.

Cela me plut.

Et c'est ainsi qu'on discuta. Bertier évoqua ses projets, le manuscrit qu'il était en train d'écrire, et qui lui avait sans doute coûté son agrég cette année. Il parlait vite, sans terminer la moindre phrase, en gesticulant d'une façon qui aurait pu paraître pompeuse ou ridicule s'il n'avait pas eu pour lui-même autant de dérision. Il y avait dans tout cela beaucoup d'ironie, une distance presque britannique, qui détonnait avec la gaillardise d'Aurélien. Pendant un instant, je me demandai d'ailleurs comment ces deux-là pouvaient être amis ; mais je compris, aux coups d'œil et aux traits d'esprit qu'ils s'échangèrent ce soir-là d'un bout à l'autre de la nappe, à quel point leurs personnages se complétaient.

« Et toi, alors, comment tu connais Anna ? » me demanda Bertier.

Je fus bien obligée de parler de moi. J'évoquai la prépa, puis mon enfance à Tours, les projets d'études pour la rentrée. Je n'avais pas grand-chose à raconter.

Un silence se creusa, tandis qu'autour de nous les autres invités riaient aux histoires d'Aurélien. Pour la première fois depuis son arrivée, Bertier se taisait. Alors, comme je n'avais finalement plus envie de partir, je lui dis :

« De temps en temps, moi aussi, j'écris des trucs... »

L'aveu était sorti tout seul. L'effet du vin, peut-être ; ou la crainte d'un malaise. Je n'avais jamais parlé de cela à personne. Pas même à Anna.

La curiosité de Bertier était piquée : aussitôt, il voulut en savoir plus. Alors, vaguement, je lui parlai de ce que je faisais : des « histoires » que j'avais ébauchées cette année entre deux dissertations ; des quelques nouvelles que j'avais même eu le temps de rédiger, du reste sans aucun intérêt. J'étais comme toutes les jeunes filles littéraires et bien élevées : *j'écrivais.* Je m'imaginais la vie d'auteur comme un univers feutré et mystérieux, où l'on parlerait à voix basse comme dans une librairie. Et tout en faisant mes gammes sur de beaux cahiers tout neufs, j'espérais secrètement y pénétrer.

« Il faudra que tu me fasses lire tout ça un jour ! » dit Bertier, enthousiaste. Il me resservit du vin, et, sans que je voie le temps passer, on passa le reste de la soirée à parler de littérature tout en terminant la bouteille.

Bientôt, les lumières des berges s'allumèrent. Des jeunes gens éméchés longeaient le canal en laissant derrière eux une vague odeur de vin et de cannabis. Peu à peu, la nappe se vida : les invités commencèrent à remballer leurs affaires, à ranger dans des sacs les détritus de la soirée, et à rentrer chez eux. Nous n'étions plus que quelques-uns à présent, assis sur l'herbe, à discuter, lorsque Aurélien s'approcha de Bertier et moi.

« Tiens, dit ce dernier, je te présente Laure. Laure Narsan. Coloc de ta sœur à Lakanal, romancière potentielle, et fervente admiratrice de côtes-de-vaux. »

Il me salua sans vraiment me regarder, puis alla bousculer Bertier dans une accolade pleine de camaraderie.

« Alors c'est comme ça qu'on drague, mon vieux ? »

Bertier continua de jacasser tout en ignorant les allusions d'Aurélien. Il proposa de poursuivre la soirée quelque part, chez lui pourquoi pas, où il restait encore quelques bonnes bouteilles.

« Tiens, d'ailleurs, Laure, il y a un livre que je dois te prêter absolument.

— Pff, oh non, pitié, pas de discussion d'intello ce soir, sinon je meurs ! » lâcha Aurélien.

Et il s'allongea de tout son long sur la nappe, en poussant un bâillement d'ogre.

Anna aussi fatiguait, étourdie par le vin. Puisqu'à part Bertier, inépuisable, personne n'avait vraiment envie de continuer, elle suggéra qu'on rentre tout doucement, en marchant ensemble jusqu'à la prochaine station de métro.

Notre petit groupe se mit en route.

Je me souviens de cette promenade dans la fraîcheur de Paris, à l'heure où les bars se remplissent et où les rues commencent à résonner d'éclats de voix. Nous marchions en silence. Ma tête tournait un peu, et je regardais devant moi l'ombre d'Aurélien projetée sur les pavés. Poussant à côté de lui son vieux vélo brinquebalant, il avançait en sifflant, bienheureux, insouciant. Et nous semblions le suivre comme s'il nous guidait quelque part.

Mais, alors que nous approchions de la bouche de métro, le son d'une guitare se mit à retentir dans la rue. Installé sous une arcade, un musicien entamait des airs de jazz manouche sous le regard des passants.

Aurélien s'arrêta. Et sans qu'il ne nous dise rien, nous le suivîmes.

Accoudé au guidon de son vélo, le visage impassible, il écoutait la musique comme si rien d'autre au monde n'existait. À mon tour, je regardai, complètement absorbée, les doigts du musicien courir sur les cordes tandis que sa paume battait la mesure ; et je sentais les notes s'enrouler les unes aux autres, frétillantes, dans un rythme jubilatoire. Il me semblait entendre le son d'une guitare pour la première fois de ma vie.

Au bout de quelques minutes, Bertier s'ennuya. Il s'éloigna, roula une cigarette et insista pour repartir. Les autres le rejoignirent, et ils se dirigèrent vers la bouche de métro en emportant avec eux le vélo d'Aurélien. Lui et moi restions immobiles.

« Bon, vous vous ramenez ? cria Bertier.

— Ta gueule ! » fit Aurélien.

Et puis il me murmura, tout bas contre l'oreille, si près que son souffle me fit l'effet d'un choc :

« C'est vrai, on n'est pas bien, là ? »

Ainsi, l'été commença.

Lundi 10 juin

Voilà maintenant un mois que je me suis remise au travail.

Pendant toutes ces semaines, l'image de ce soir de juin n'a pas cessé de me hanter. Je croyais avoir oublié ce souvenir depuis longtemps ; mais tout est encore là, vivant, intact. Comme si cet instant précis contenait le cœur même de ma vie.

Il m'a fallu du temps pour m'y replonger. Accepter de retrouver ces souvenirs vibrants, alors qu'autour de moi tout est si lisse et si rangé. Mais le plus difficile à affronter, c'est l'image d'Aurélien et de Bertier. Chaque matin, lorsque je m'installe à mon bureau, je revois leurs silhouettes se dresser devant moi dans le crépuscule. Tout au long de la journée, leur présence ne me quitte pas. J'entends leurs voix, leurs éclats de rire ; je vois leur peau de garçon, leurs cheveux en bataille. Et leur jeunesse insolente me secoue le cœur, comme s'ils venaient narguer la vieille dame que je suis. « Alors voilà, voilà ce que tu es devenue ! » me lancent-ils, impitoyables ; et ils se mettent à tourner autour de moi, à se moquer de mes petites manies, de mon orgueil d'écrivain. Leurs fantômes me rappellent sans arrêt à quel point j'ai vieilli. À quel point je me suis asséchée et endurcie.

Alors, j'ai décidé de leur répondre. À côté du manuscrit, je continuerai à tenir à jour ce petit carnet qui fait office de journal. J'y raconterai ce que je suis devenue quarante-cinq ans après ce soir de juin. Comme pour leur expliquer ce qui m'en sépare. Dresser l'inventaire de tout ce qui s'est construit, et de tout ce qui s'est perdu pendant quatre décennies.

Je suis loin maintenant de la jeune Laure qui sortait de khâgne sans se douter de ce que la vie lui réserverait. À l'époque, je n'avais pas de poids, pas d'épaisseur ; à aucun moment je n'aurais imaginé devenir le roc que je suis aujourd'hui. Moi qu'un rien déconcentrait, je suis devenue méthodique, imperturbable. De neuf heures du matin jusqu'en fin d'après-midi, c'est à peine si je lève le nez de mon bureau. Le dos droit, les muscles tendus, je travaille sans relâche, ne m'accordant qu'une pause à l'heure du déjeuner. Ma vie se mesure au nombre de pages produites, de notes relues, de plans élaborés. Pas un seul jour ne se passe sans que je me dise, le soir avant de me coucher : « Voilà. J'ai fait ce que j'avais à faire. »

Mais parfois, en plein milieu de l'après-midi, le silence se fendille. Une chaise craque ; une voiture traverse la route ; le vent passe sur les lilas du jardin. Un bruit anodin me fait lever les yeux de mon travail, et je prends soudain conscience du vide qui m'entoure.

Cette impression étrange, c'est celle que je ressentais déjà lorsque j'étais étudiante et que je veillais tard le soir pour terminer un devoir. Je la trouvais alors envoûtante, vertigineuse ; j'aimais m'y perdre. J'ignorais qu'elle ferait toujours partie de mon quotidien.

Avec le temps, j'ai fini par m'habituer à cette solitude. Je crains le bruit, les imprévus ; j'évite la foule et le chahut. Je sors peu de la maison. Pendant ces périodes de travail, mes longueurs à la piscine constituent ma seule ouverture sur le monde. Il fut un temps où j'allais courir – mais maintenant je n'en ai plus la force. Parfois, pour m'aérer, je m'accorde une petite promenade en milieu de journée. Je fais toujours le même chemin. Je traverse les rues du village ; je prends les petits sentiers bordés de vieux murs et de vergers. Quelquefois, je salue un voisin. Mais je ne discute jamais longtemps. Ma tête résonne encore des phrases que je viens d'écrire, et il me faut toujours un certain temps pour les faire taire au fond de moi.

Voilà bientôt dix ans que nous avons quitté Paris pour vivre ici. J'avais toujours rêvé d'une demeure ancienne avec des murs en pierres et de la vigne vierge sur la façade. Alors, un jour, nous avons acheté cette maison de village à une heure de la capitale, bien trop grande pour nous deux, avec un jardin dont Tristan n'a bien sûr jamais le temps de s'occuper. Si nous avions eu des enfants, ils auraient été en âge à présent de venir avec leurs conjoints et leurs petits ; et la maison aurait été remplie de leurs rires et de leur désordre. Au lieu de cela, les chambres d'amis restent vides, et les couloirs ne résonnent d'aucun écho.

Cela fait plusieurs fois déjà que Tristan me promet de prendre sa retraite et de passer plus de temps avec moi. Mais, chaque année, il repousse son départ. Il dit, pour plaisanter, que si je l'avais tout le temps sur le dos, je ne pourrais plus écrire une ligne. Je sais surtout qu'il est incapable de renoncer à son travail, et qu'une fois retraité il tournerait ici comme un lion en cage. Alors je ne dis rien ; je me contente d'attendre, le soir, le bruit de ses pas dans le vestibule, et sa voix derrière moi qui me pose toujours la même question : « Alors, tu as bien avancé aujourd'hui ? »

Tristan est éditeur. Et, par la même occasion, il est le mien.

La littérature a toujours fait partie de notre vie. Nous ne savons faire que cela : j'écris des livres ; il les publie. C'est la raison d'être de notre couple ; ce qui a fait de nous, pendant toutes ces années, de parfaits coéquipiers. Quand je le regarde aujourd'hui, assis à mes côtés, je me rends compte du socle qu'il est pour moi : ma force et ma patience, c'est à lui que je les dois. Tristan m'a appris à ne jamais faillir. À me relever, quoi qu'il arrive. Même après les ventes décevantes et les prix ratés ; même après les critiques acerbes, pointées au cœur comme une lame. Écrire tous les jours ; écrire comme si j'exécutais n'importe quelle autre tâche. C'est lui qui me l'a enseigné.

Lui-même est un bourreau de travail. Une de ces forces de la nature pour qui le repos n'est qu'une perte de temps. Je me souviens de ce qu'avait dit mon premier éditeur à l'époque où Tristan n'était chez lui qu'un simple stagiaire : « C'est un bosseur, celui-là. Il ira loin. » Et en effet, tandis que j'écrivais mes romans, lui aussi traçait sa route. Année après année, je l'ai vu franchir tous les obstacles, gagner toutes les batailles. Les promotions se sont enchaînées : d'assistant, il est devenu responsable de collection, puis directeur. Jusqu'au jour où, voilà près de vingt-cinq ans, il a fondé sa propre maison : les Éditions des Aurores.

Depuis ses débuts, Tristan a étrangement très peu changé. Son ascension dans le milieu littéraire ne lui a jamais fait perdre son exigence ni sa nervosité. Aujourd'hui, comme il y a trente ans, je le retrouve encore plein de doutes, revenant inlassablement sur le même chapitre d'un manuscrit, jusqu'à ce que cela soit parfait. La nuit, il dort très peu; dès le réveil, son esprit est déjà aux aguets. À peine le jour s'est-il levé qu'un millier de questions fusent en lui : ce livre mérite-t-il d'être publié ? Faut-il changer le titre de celui-là ? Et comment arranger cette fin, qui ne fonctionne pas ? Le soir, quand il rentre à la maison, il est encore en ébullition, le corps tendu, si obnubilé par ses bouquins qu'il ignore parfaitement toute autre préoccupation matérielle. « Il faudra peut-être penser à tondre la pelouse ce week-end… » lui dis-je. Bien entendu, il m'écoute à peine. Assis sur le canapé, les lunettes posées sur le haut du front, il annote un manuscrit, avec le même air sévère qu'il avait déjà à l'époque où je lui faisais lire mes premiers textes. Sans qu'il me voie, je le regarde. Je connais par cœur cette façon qu'il a de se mordre l'articulation de l'index quand il est concentré, ou de croiser les jambes en même temps qu'il tourne une page. D'ici quelques minutes, il remettra ses lunettes, se raclera légèrement la gorge et me lira un passage en me demandant mon avis. Alors, comme d'habitude, dans la lumière tamisée du salon, notre tasse de thé entre les mains, nous passerons le reste de la soirée à débattre de la qualité du roman, jusqu'à ce que la nuit tombe.

Tristan et moi, nous sommes comme de vieux compagnons de route. Côte à côte, solidaires, nous avons traversé notre vie en venant à bout de toutes les épreuves. Nous nous sommes rarement disputés ; je crois même que l'idée de nous séparer ne nous est jamais venue à l'esprit. Nous nous sommes tellement modelés l'un l'autre qu'aujourd'hui notre ressemblance en est devenue physique : nous avons le même corps mince, sec et nerveux, et le même visage émacié, aux mâchoires strictes. Nos silhouettes se confondent ; nos intonations se calquent l'une sur l'autre. Avec le temps, on nous prendrait presque pour un frère et une sœur. À nous voir nous promener tous les deux dans les rues du village, les épaules un peu voûtées, discutant d'une même voix calme, on croirait que notre existence a toujours été ainsi. Lisse, paisible. Dépourvue de drame.

Comme beaucoup de couples de notre âge, du moins j'imagine, nous ne faisons plus souvent l'amour. En vérité, nous n'avons jamais vraiment été doués pour cela. Nos étreintes ont toujours été brusques, malhabiles. Sous les draps, nos coudes se cognent ; nos visages se heurtent ; nos corps nous encombrent comme de vieilles machines mal huilées. Nous si graves, si sérieux lorsqu'il s'agit de littérature, nous nous retrouvons dans l'intimité comme des adolescents honteux et ignorants. Tristan ne sait pas y faire avec la douceur. Ses gestes sont à son image : nerveux, impatients. Quelque chose en moi semble le rebuter. Je ne lui en ai jamais tenu rigueur. Cela fait longtemps que j'ai moi-même perdu toute aptitude à la tendresse.

Les choses auraient peut-être été différentes si nous avions eu des enfants. Mais Tristan n'en a pas voulu. Aujourd'hui, il dirait que cela n'a jamais été le bon moment. Et c'est vrai : il y a toujours eu dans notre vie d'autres priorités, des livres à écrire, des promotions à gagner ; et les années ont passé, laissant derrière elles leur lot de succès, sans que jamais la maison se remplisse. Pendant ce temps, chez nos amis, des ventres s'arrondissaient ; des prénoms fleurissaient sur les faire-part de naissance. Dans les appartements, les affaires se mettaient à traîner, les couloirs retentissaient de cris aigus. La plupart du temps, je n'y prêtais pas vraiment attention. Mais parfois, quand je terminais un manuscrit et que je revenais à la vie réelle, j'y pensais. Je me disais que, peut-être, le moment viendrait bientôt ; que, nous aussi, nous pourrions avoir cette vie. Une vie sans romans, sans discipline. Une vie où le désordre serait permis.

Je me souviens très exactement du jour où j'ai compris qu'il était trop tard. Celui où Tristan est venu me dire qu'il allait fonder sa propre maison d'édition. J'allais avoir quarante ans. « À quarante ans, m'avait-il souvent dit, si je ne me suis pas mis à mon propre compte, c'est que je ne le ferai plus jamais. » C'est ce qu'il me répéta ce jour-là, au restaurant où il m'avait emmenée, pour m'annoncer la nouvelle. Il parlait avec un air un peu solennel, m'expliquant en détail toutes les démarches qu'il avait déjà entreprises, les contacts, les financements. Il avait une idée très précise de ce qu'il voulait faire, des écrivains qu'il publierait; et, bien sûr, tout comme il avait été pendant des années mon premier lecteur, il allait de soi que je serais son premier auteur. « Tu verras, me dit-il en levant son verre, nous l'aurons, ce Goncourt. » Je me souviens de l'avoir écouté, souriante et silencieuse, tout en sentant une part de moi s'écrouler lentement. « C'est fini, me répétais-je. Nous n'aurons jamais d'enfants. »

Après cela, je n'en ai plus reparlé. Je me disais qu'après tout nous aurions fait de bien mauvais parents. Nous sommes trop égoïstes, trop exigeants; nous détestons tout ce qui est imprévisible, tout ce que nous ne maîtrisons pas. Alors, mon désir d'enfant, je l'ai pris entre les mains, et je l'ai roulé en boule au fond de moi. J'ai continué d'écrire. Plus dure, plus tenace. Tristan n'était pratiquement pas là de la journée ; il consacrait désormais toute sa vie aux Éditions des Aurores. Si je voulais m'en sortir, je devais m'imposer une discipline exemplaire. Je me suis mise à structurer ma vie comme je l'aurais fait pour le plan d'un manuscrit : avec rigueur, et méthode. Mes journées s'organisaient à la demi-heure près. Je travaillais sans relâche. J'écrivais ; je ne faisais que cela ; j'accumulais les projets, et j'exécutais tout cela avec une efficacité incroyable. Jamais je n'ai été aussi productive. Chaque année, un livre de plus s'ajoutait sur l'étagère du bureau. Bien sûr, il n'y eut ni Goncourt ni Femina, ni quoi que ce soit d'autre. Pas un seul de ces bouquins n'avait d'intérêt. Mais ils étaient là. Solides, palpables. Comme une preuve tangible de tout ce que j'avais accompli.

C'est à cette époque aussi que je me suis mise à pratiquer le sport de manière intensive. Mon corps le réclamait : à force de me concentrer toute la journée, j'avais besoin de me défouler. Tous les matins, je partais courir, longeant les bois sur plusieurs kilomètres. Mes jambes étaient fortes, mon souffle long. Je courais sans m'arrêter. Je courais en ne pensant à rien d'autre qu'à la formidable régularité avec laquelle l'air sortait de ma bouche, au battement mesuré de mon rythme cardiaque. Je découvrais la puissance incroyable de mon souffle et de mes muscles. Comme s'il y avait au fond de moi quelque chose de dur et de coriace, capable de résister à tout. Peu à peu, mon corps se transforma. Il devint plus sec, plus austère, sans âge ni sexe. Je me fis aride. Minérale. Dans ma poitrine, je les sentais à nouveau, ces mains imaginaires, ces mains de ciment crispées autour de mon cœur. Patiemment, sans crier gare, elles avaient repris leur tâche. Elles broyaient en moi tout ce que j'avais pu conserver de désir et de douceur.

Aujourd'hui, je ne cours plus : j'ai remplacé les kilomètres par les longueurs à la piscine. Mon corps a vieilli ; mes genoux se sont usés. Mais je suis toujours là. Droite, intransigeante. Le dos raide, les omoplates saillantes, je plonge mon corps dans l'eau chlorée comme pour mieux le polir.

Voilà ce que je suis devenue. Une armure. Mon corps est anguleux ; ma peau est tannée. Plus rien ne pourrait laisser croire que, il y a quarante ans, j'ai ri et j'ai aimé. Tous ces souvenirs, je les ai pétris un à un, soigneusement, jusqu'à ce qu'ils cessent de trembler au fond de moi.

Pourtant, il a suffi d'une secousse. Un frôlement anodin, ce matin-là, dans le couloir des crawleurs. Pour tout à coup les refaire battre.

Chapitre 2

Assise sur le rebord de la fenêtre, je cherche un peu de fraîcheur. Il doit être dix ou onze heures du soir. L'air est encore étouffant. Devant la table de la cuisine, Bertier lit la nouvelle que je lui ai apportée, tandis qu'Aurélien, pieds nus croisés sur une chaise, engloutit un bâtonnet glacé.

« Bon, Bertier, t'as bientôt fini ? fait-il, la bouche à moitié pleine.

— Oui, oui… » répond l'autre sans lever les yeux.

Et le silence s'installe de nouveau.

Je ne sais pas quoi dire à Aurélien. Lui demander de me parler de lui ? J'ai déjà essayé ; il répond toujours de façon laconique, sans jamais retourner les questions. Alors, puisque la seule façon de le rendre bavard, c'est de lui faire raconter des anecdotes, je lui demande : « Dis voir, pourquoi tout le monde l'appelle Bertier ? »

Tout en léchant le reste de sa glace, il me dit : « C'est à cause de Jean-Paul Sartre. » Quand Bertier et lui étaient en terminale, leur prof de philo leur avait raconté que, même dans l'intimité, Simone de

Beauvoir continuait de le vouvoyer et de l'appeler par son nom de famille. Comme Bertier avait souvent tendance à se prendre pour un intellectuel, et que ça faisait rire Aurélien, il s'était mis à l'appeler comme ça lui aussi, pour le charrier. Et, depuis, c'était resté.

Bertier n'a pas écouté. Enfin, il se redresse et me lance avec un air en effet légèrement apprêté : « Eh bien, ce n'est pas mauvais, Laure, pas mauvais du tout. »

Puis il se lança dans un monologue quelque peu confus, où il était à la fois question de mon texte, de l'usage des adjectifs qualificatifs, et de Katherine Mansfied – dont je devais lire les nouvelles « de toute urgence ».

« Et ton manuscrit alors ? demandai-je. Quand est-ce que tu me le fais lire ? »

Bertier poussa un soupir : cela faisait des semaines qu'il le traînait sans en voir le bout. Il avait déjà modifié la fin quatre fois et changé du tout au tout le sort de plusieurs personnages. Souvent, quand il relisait son travail, il se sentait accablé par la médiocrité de ce qu'il avait pu écrire. Il avait l'impression de ne pas s'en sortir : dès qu'il corrigeait un chapitre, c'était tout le reste qui lui semblait mauvais.

« Tu ferais mieux de bosser ton agrég pour l'année prochaine, dit Aurélien.

— Tu peux parler, toi ! Quand est-ce que tu comptes remettre les pieds à la fac ? »

Aurélien ne répondit que par un éclat de rire. En matière d'études, il était le premier à savoir qu'il n'avait aucune leçon à donner. Ses parents lui avaient laissé jusqu'à la fin de l'été pour se décider sur son avenir, sous peine de représailles financières. Mais cela lui était complètement égal. Aurélien continuait de vivre sa vie avec une insouciance qui frôlait la provocation.

« Bon, et si on sortait ? » dit-il en se levant.

Il était tard, et nous étions déjà tous les trois au bord de l'ivresse – mais cela ne semblait pas déranger Aurélien, qui en une seconde venait de balayer tout le caractère intellectuel de notre conversation, pour nous ramener à la vie. Il y avait, nous dit-il, un concert fabuleux aux Caveaux des Oubliettes ; s'il n'y avait plus de place, tant pis, on trouverait bien quelque chose à faire en traînant dans le quartier. Bertier râla un peu, mais il se laissa faire. C'est ainsi qu'on se retrouva dehors en plein milieu de la nuit, à errer dans les rues du cinquième arrondissement, conduits par la silhouette d'Aurélien qui marchait devant nous en faisant le pitre.

Nous étions alors au début du mois de juillet. Quelques jours plus tôt, mes parents m'avaient aidée à quitter ma chambre d'internat pour emménager à la Cité universitaire. Le soir de mon arrivée, j'avais appelé Bertier ; après notre rencontre au bord du canal, il m'avait laissé son numéro de téléphone et m'avait demandé de le contacter dès que je serais disponible. Mon coup de fil l'avait réjoui ; aussitôt, il m'avait invitée pour un dîner chez lui à l'improviste. C'est comme ça que je les revis, Aurélien et lui, pour la première fois depuis le pique-nique. J'ignorais encore que ces soirées-là se multiplieraient, qu'elles rythmeraient tout mon été – et qu'elles resteraient à ce point gravées en moi, comme l'image même de la félicité.

Bertier vivait en haut de la rue de Vaugirard, dans une ancienne loge de concierge qui faisait office de petit studio. Je m'en souviens encore, de cet appartement, avec sa fenêtre ouverte sur la cour, son odeur de papier d'Arménie, et ses étagères toujours en fouillis, prêtes à céder sous le poids des livres. Quand nous venions, Bertier débarrassait son bureau de tous les papiers qui y traînaient et, le temps d'un repas, le transformait en table à dîner. Parfois, Anna et Guillaume nous rejoignaient. Nous nous installions devant une bouteille de blanc tandis qu'Aurélien s'affairait dans la cuisine minuscule. Il nous préparait à chaque fois, je ne sais comment, des festins incroyables que nous dégustions jusqu'à minuit passé.

Venait toujours un moment, au cours du repas, où Bertier se mettait à parler littérature. Il se lançait dans de grandes réflexions dont nous perdions parfois le fil ; puis il se levait, allait fouiller dans ses étagères et revenait avec un livre dont il nous lisait un passage d'un air exalté. « Je ne sais pas vous, mais moi ça me fait *mal au ventre* quand je lis ça. » Il finissait par me prêter le livre en question en me disant : « Tu vas adorer. » Si bien qu'au fil des soirées les ouvrages s'accumulaient sur mon bureau. C'est ainsi que je découvris Faulkner, Pessoa ou encore Virginia Woolf, des auteurs dont j'avais parfois entendu parler en classe prépa, mais dont la lecture constitua pour moi un ébranlement.

Ces conversations avaient le don d'exaspérer Aurélien, que la littérature ennuyait copieusement. Il ne comprenait rien à la poésie, n'ouvrait jamais un bouquin et ne manquait pas de se moquer de Bertier dès que celui-ci se prenait un peu trop au sérieux. Alors c'était souvent le début de leur éternelle chamaillerie : Bertier reprochait à Aurélien sa paresse, son manque de curiosité, cette façon qu'il avait de vivre toujours dans le plaisir de l'instant présent sans se donner la peine « d'aller plus loin ». Aurélien riait et lui recommandait plutôt de faire l'amour un peu plus souvent.

Quand nous n'étions pas chez Bertier, nous passions notre temps dehors. Aurélien nous emmenait toujours dans des endroits improbables, des caveaux minuscules où les gens s'entassaient sous la lumière bleue des fumées de cigarettes et où l'on passait la nuit à écouter des airs de jazz. D'autres fois, on allait se réfugier dans de petits cinémas pour voir des films d'Emir Kusturica ou de Woody Allen, auxquels Bertier cherchait toujours une interprétation hasardeuse, mais qui nous faisaient bien rigoler, Aurélien et moi. On s'éternisait à la terrasse du Marly, dans la cour du Louvre, à trente francs le verre de chablis, pendant que les derniers passants flânaient autour de la Pyramide. Comme il ne nous restait plus beaucoup d'argent pour le reste de la soirée, on allait s'acheter au Franprix des biscuits à la fraise et une bouteille de mauvais champagne, qu'on buvait tiède, assis sous le péristyle de l'Académie française ; et on restait là, des heures durant, jusqu'à en avoir des crampes aux mollets, à écouter Bertier, imbibé d'alcool, disserter sur le sens de la vie.

Je ne sais pas pourquoi nous sommes si vite devenus amis, et avec une telle évidence.

J'ignorais encore beaucoup de choses sur eux. Je savais qu'ils avaient grandi dans des milieux différents, qu'au lycée ils n'étaient jamais bons dans les mêmes matières, et que la seule chose qui les liait profondément, c'était leur étonnante connivence dès qu'il s'agissait de rire. C'est pour cela que j'aimais tellement être avec eux. J'aimais leurs débats un peu ridicules, leur goût pour l'absurde, leur côté pince-sans-rire. J'aimais cette façon qu'ils avaient de se vouvoyer et de s'appeler « Mon vieux » dès que la conversation devenait un peu trop raisonnable, comme pour ne jamais se prendre au sérieux. Mais ce que j'aimais par-dessus tout, c'était le rire d'Aurélien – de grands éclats francs et généreux, qui surgissaient sans que l'on s'y attende et vous prenaient soudain au cœur.

Des deux, c'était lui que je connaissais le moins. Derrière son côté boute-en-train, il restait incroyablement secret. Jamais il ne nous parlait de lui. Personne ne savait ce qu'il comptait faire de sa vie après l'été : dès que le sujet arrivait sur la table, il l'évitait soigneusement. Son avenir n'avait, semblait-il, pas la moindre importance pour lui. Bertier le traitait d'enfant gâté – et c'était vrai : il vivait sa vie avec une indolence tranquille, passant ses journées à dormir, à trinquer ou à jouer de vagues airs de guitare sur le rebord d'une fenêtre. Mais voilà, je crois, ce qu'était son véritable talent : cette faculté qu'il avait de cueillir l'instant présent et de nous le faire partager dans toute sa saveur. Le moindre verre de vin, la moindre bouchée devenait avec lui un enchantement. Je me souviens de poulets rôtis décortiqués avec un plaisir insoupçonné ; de côtes-de-bergerac dont le goût liquoreux provoquait en moi un ravissement sans égal ; de promenades digestives en pleine nuit dans les rues de Paris, où à chaque détour nous nous laissions surprendre par un lieu ou une rencontre. Il y avait dans tout cela plus de profondeur qu'il n'y paraît : Aurélien avait, je le crois, un sens aigu de ce que devait être le bonheur. Rien d'étonnant à ce qu'il refuse de gâcher sa jeunesse dans un amphithéâtre pour apprendre la médecine : il était fait pour être sommelier ou critique gastronomique, quelque chose dans cet ordre-là, et passer sa vie à faire partager aux autres son don pour le plaisir.

Bertier était bien sûr beaucoup plus cérébral. C'était un bavard invétéré : aussi donnait-il l'impression d'exprimer sans arrêt tout ce qui lui passait par la tête. Je le soupçonnais parfois de s'intéresser un peu à moi. Je ne sais pas s'il me trouvait belle, mais notre goût commun pour la littérature suffisait à faire de moi, à ses yeux, une sorte de partenaire idéale. Quand Aurélien n'était pas là, on se voyait quelquefois seuls tous les deux, chez Gibert où nous traînions dans les rayons de la rentrée littéraire, ou devant les étalages de bouquinistes. « Et celui-là, tu l'as lu ? » me disait-il, les yeux brillants ; puis il se lançait dans une explication aussi passionnante que décousue, et je l'écoutais sans perdre un mot. Sur la table de son bureau traînaient les œuvres du nouveau programme d'agrégation, qu'il avait à peine ouvertes. Quand je lui demandai un jour pourquoi il avait tant de mal à se mettre au travail, lui qui était pourtant passionné de littérature, il me répondit que les concours de l'enseignement n'avaient hélas rien à voir avec la sensibilité. C'est d'ailleurs à cause de celle-ci qu'il avait récolté des notes aussi catastrophiques : lors de la confession, un membre du jury lui avait reproché son « impressionnisme ». Cela avait le don de l'agacer : il ne comprenait toujours pas comment on pouvait avoir un esprit aussi étriqué et plaquer des plans dialectiques sur des œuvres d'art qui lui vrillaient le cœur.

Au début du mois d'août, Bertier finit par me remettre son manuscrit. C'était un pavé de trois cent cinquante pages, dont j'ai oublié le titre mais qui se présentait comme une réécriture des *Vies et opinions de Tristram Shandy*. « Je te préviens, me dit-il, c'est loin d'être abouti. » Je promis de le lire au plus vite et de lui donner un avis sincère. Hélas, plus j'avançais, plus je me perdais dans les méandres de la narration. Le fil conducteur y était rompu à plusieurs endroits, pour laisser place à des réflexions parfois brillantes, souvent extravagantes et complètement confuses. Quand je repense à ce roman, avec le recul de tant d'années, je réalise tout ce qu'il avait en effet de saugrenu et de médiocre par rapport à son modèle ; mais, à l'époque, je me disais que la complexité du style était au contraire un indice de sa qualité et que, si quelque chose m'échappait, c'est que je manquais tout simplement d'intelligence.

Je lui rendis donc son travail en essayant de masquer les déficiences de ma lecture derrière des éloges imprécis. Le visage de Bertier s'illumina. « Tu crois vraiment que cela mérite d'être publié ? » me demanda-t-il. Je répondis que oui – bien que je n'en sache absolument rien.

Dès lors, Bertier se remit au travail avec plus d'aplomb, se donnant jusqu'au mois de septembre pour terminer les dernières corrections avant de l'envoyer aux éditeurs. Après cela, les dés seraient jetés, et il n'aurait plus qu'à préparer son agrégation en attendant un éventuel coup du destin.

« Et toi, me demandait-il souvent, où en es-tu dans l'écriture ? »

Je lui répondais toujours que le moment viendrait. Et en effet, depuis notre rencontre au mois de juin, l'envie d'écrire me revenait.

À chacun de nos rendez-vous, Bertier m'insufflait un peu plus de son énergie. J'en ressortais toujours avec une pile de nouvelles lectures, et l'impatience de les terminer pour pouvoir en discuter avec lui. Pendant deux mois, je n'ai fait que cela : dévorer. Je me souviens de ces matins où le soleil, filtré par les stores de ma chambre, me réveillait à presque midi, et où je restais au lit à bouquiner pendant deux ou trois heures, sans voir le temps passer. Une fois levée, je continuais d'entendre les phrases de mes lectures aller et venir dans ma tête comme le bruit des vagues et se confondre peu à peu avec mes propres mots. Je sortais, je prenais le métro, je marchais dans Paris ; et tandis que j'arpentais les rues, des bribes de phrases naissaient en moi. Elles restaient parfois comme ça, incomplètes, simplement bercées par le même rythme lancinant ; et je sentais que quelque chose venait, que c'était le moment, que j'allais bientôt écrire. J'attendais le soir où, enfin au calme, enfermée dans ma chambre comme je l'étais autrefois à l'internat, je pourrais travailler en écoutant le couloir s'endormir peu à peu.

Mais je ne trouvais jamais le temps. La vie me happait ; tous les jours, je cédais à la tentation de passer chez Bertier pour les revoir, Aurélien et lui. Alors, j'oubliais les décisions de la journée, les résolutions d'ascèse, les promesses d'écriture ; et chaque fois, à leurs côtés, je me laissais aller à la paresse.

Moi qui ne m'étais jamais souciée de mon apparence, je découvris les plaisirs de la coquetterie. Avant de sortir, *je me faisais belle*. Je mettais de la crème sur ma peau, pour qu'elle sente bon, une crème à la vanille dont le goût sucré me régalait. Je portais des robes, de petites robes comme celles d'Anna, qui dévoilaient mes jambes. Je les rasais tous les jours avec une mousse rose qui rappelait l'odeur des bonbons ; je passais mon temps ensuite à les croiser et à les décroiser, rien que pour sentir leur douceur. Je laissais mes cheveux tomber sur mes épaules ; je faisais claquer mes talons sur le sol. Et tout cela, je ne le faisais que pour une chose : agacer Aurélien. Sentir sur moi son envie de garçon.

Pour la première fois, j'éprouvais du désir pour quelqu'un. Je veux dire un vrai désir, de ceux qui montent comme un besoin de mordre. J'avais déjà vécu une histoire auparavant, en hypokhâgne, avec un camarade dont l'esprit m'avait séduite. Mais j'avais fait l'amour sans plaisir, comme penchée au-dessus de mon corps. Cette fois, c'était différent. J'avais envie de lui. Simplement. Avec une telle évidence que la distance entre nous me déchirait le ventre. Son odeur, surtout, me fascinait. Je rêvais de la respirer, moi qui ne faisais que l'effleurer lorsqu'il passait près de moi, de la renifler dans ses cheveux, sur son ventre et sur son sexe. J'imaginais son goût, quelque chose d'épicé comme du girofle, qui piquerait un peu sur le bout de la langue.

Bien sûr, mes efforts restaient vains. Maladroite et penaude, j'étais incapable de séduire. D'ailleurs, nous ne nous retrouvions presque jamais seuls. Les rares moments où cela se produisait, Aurélien me parlait à peine. Je devais être à ses yeux une sorte de Bertier au féminin, une intellectuelle asexuée, incapable d'érotisme. Je n'ai jamais su s'il voyait d'autres filles ; j'imagine que oui. Parfois, à la fin d'une soirée, quand Bertier et moi rentrions, écroulés de fatigue, il disait : « Allez-y, je reste encore un peu. » Une fois couchée dans mon lit, j'imaginais le visage de celle qu'il séduisait. Je les voyais tous les deux, à l'aube, dans la pénombre d'un appartement inconnu, faire l'amour tout doucement. Et c'est sur cette image que je m'endormais.

Je me souviens qu'un soir je me suis montrée plus audacieuse. Aurélien nous avait entraînés sur une péniche qui tenait lieu de boîte de nuit. Je n'avais jamais mis les pieds dans un tel endroit. Bien sûr, Bertier était mécontent : la musique était infecte, et on ne rencontrerait sûrement personne d'intéressant.

Il décida de rester au bar, et comme je ne savais pas danser, j'étais bien obligée de l'accompagner. Quant à Aurélien, il s'élança sur la piste sans plus tarder. J'essayai de le suivre des yeux, mais bientôt il disparut. Je sentais de temps en temps sur ma nuque le souffle de Bertier qui essayait de me parler ; je n'entendais rien. Je regardais, envoûtée, la foule devant moi onduler comme un seul et même corps. La pulsation de la musique et de la lumière me faisait tourner la tête ; j'avais envie de danser moi aussi. Alors, je ne sais pas pourquoi, je me suis lancée. Moi si malhabile, je me suis mise à me mouvoir au milieu de ces inconnus, en sentant contre moi le frôlement de leur peau. Mes cheveux étaient trempés de sueur ; ma robe en coton collait à mes cuisses. J'ai dansé toute la nuit, jusqu'à l'épuisement, ne m'arrêtant que pour étancher ma soif à coups de rhum. Je dansais, et les mouvements autour de moi devenaient de plus en plus flous. J'essayais de faire comme les autres filles, la gorge en arrière, les reins cambrés, et je cherchais des yeux Aurélien en espérant qu'il viendrait me surprendre et poserait ses mains autour de ma taille. Mais aucun garçon ce soir-là n'est venu se lover contre moi. J'ai su plus tard qu'il avait rejoint Bertier au bar et m'avait observée, riant de me voir soudain si délurée. Vers trois heures du matin, ils sont tous les deux venus me chercher sur la piste. Je tenais à peine debout et je titubais comme une ivrogne lorsqu'on a longé la rue de Solferino pour chercher un taxi. Il y avait dehors une odeur de pluie chaude. La nuit oscillait sous mes yeux, et je m'accrochais au bras d'Aurélien en entendant l'éclat de son rire dès que je débitais une absurdité. Il m'est resté peu de choses de ce soir-là (je n'avais sans doute jamais été aussi saoule de ma vie), mais je me souviens simplement de cette virée en taxi en plein milieu de la nuit, de Bertier endormi à côté de nous – et de ma main qui osa, je ne sais comment, se poser sur la cuisse d'Aurélien. Je crois bien qu'il se laissa faire.

Quelque temps plus tard, dans les premiers jours du mois de septembre, nous avons pris la voiture de Bertier et nous sommes tous les trois partis à Oléron pour fêter les fiançailles d'Anna et Guillaume.

C'était la première fois que je venais sur l'île. Je ne connaissais pas encore ses chemins sablonneux bordés de pins, ses petits ports au charme simple, ses immenses plages longées de dunes et presque dépeuplées en cette fin de saison. Les Schwartz passaient tous leurs étés dans une maison de vacances qu'ils avaient achetée quand les enfants étaient petits. Elle était bâtie au milieu d'un lotissement de résidences secondaires entouré de pistes cyclables, à quinze minutes à pied de la plage. Je me souviens de volets verts, de plafonds bas comme dans une maison de poupée, et d'une odeur de bois verni qui imprégnait toutes les pièces.

Puisque j'étais une amie d'Anna, et que j'étais devenue inséparable d'Aurélien et de Bertier, les Schwartz m'avaient tout naturellement proposé de venir les rejoindre. C'étaient des gens chaleureux. De *bons vivants*. Le genre de famille à organiser de grandes ripailles à la moindre occasion et à rajouter des couverts pour les invités de dernière minute. Paul et Christine, la cinquantaine bien trempée, avaient quatre enfants. Mathieu, le frère aîné, était déjà père de famille ; Florence, la deuxième, s'était mariée l'été précédent et arborait à présent un ventre rond comme une poire. Ils formaient une fratrie soudée. Une fratrie heureuse. Aurélien n'était pas le cadet, et pourtant les autres veillaient sur lui comme si c'était le cas. Quand on passait derrière lui, on venait ébouriffer ses cheveux ; son frère lui donnait de grandes accolades ; ses sœurs le choyaient comme un enfant. Il était le plus gâté d'entre eux, celui auquel on pardonnait toutes les frasques. Aucun d'eux d'ailleurs ne semblait s'inquiéter de ses études, de son manque d'organisation et de maturité dès qu'il s'agissait d'avenir. « Un jour, il aura un déclic », disait Florence. En attendant, Aurélien ne semblait voué qu'à un présent perpétuel d'où toute contrainte était bannie.

Bertier avait vite été adopté par la famille Schwartz. Chaque été, depuis plus de cinq ans, il était accueilli à bras ouverts dans la maison d'Oléron. Je savais qu'il ne venait pas du même milieu qu'eux. Bertier ne connaissait pas son père ; sa mère l'avait élevé seule. Les rares fois où il m'en avait parlé, c'était pour exprimer tout son mépris envers cette femme dépressive, intelligente pourtant, mais qui avait raté sa vie. Chez les Schwartz, il se sentait chez lui. Il avait toute sa place dans cette famille d'intellectuels ouverts et bienveillants. Le père d'Aurélien l'adorait, et je les ai souvent surpris tous les deux, assis dans le salon, lancés dans de grandes discussions sur l'art et la politique.

Quant à moi, je me sentis tout de suite à l'aise dans la maison.

On m'avait installée dans une chambre sous les combles – une chambre d'enfant, avec des murs peints en bleu, un sol recouvert de jonc tressé et une fenêtre à carreaux qui donnait sur le jardin. « Tu verras, tu seras bien, ici, pour écrire », m'avait dit Bertier. Je dormais dans un petit lit dont les draps avaient cette odeur particulière des maisons de vacances, de ces draps qu'on laisse longtemps dans des armoires en pin et qu'on ressort lorsque les invités arrivent. Le matin, quand je me réveillais, la maison semblait vide. Les Schwartz étaient matinaux : chaque jour, les hommes se levaient à l'aube pour prendre le petit déjeuner à part, dans un hôtel de bord de mer. C'était une tradition familiale dont j'ignorais l'origine. Le craquement de leurs pas sur le parquet me réveillait au moment de leur départ. Je restais au lit de longues minutes, puis je me levais lorsque j'entendais la porte se refermer. Sans même prendre la peine de m'habiller, je m'installais devant le petit secrétaire face à la fenêtre, et je ressortais mon carnet de notes. J'avais commencé un récit au début de l'été, probablement une longue nouvelle, mais depuis plusieurs semaines je n'avançais pas. Je m'en voulais de ces semaines gâchées, de cet été qui était passé si vite et pendant lequel je n'avais rien fait. Je m'étais juré, quelque temps auparavant, de profiter du calme d'Oléron pour me remettre au travail. Le cadre était idéal : une chambre baignée de lumière; le silence du matin; de longues heures s'étirant devant moi. C'était comme ça, toujours, que je m'étais représenté les choses. La douceur de journées d'été rythmées par l'écriture et la vie.

Pourtant, rien ne venait. Je ne parvenais pas à me concentrer. Je passais le début de la matinée à observer les jeux de lumière sur les rideaux en lin et à guetter les bruits de la maison. De temps en temps, quelque chose craquait. Je percevais comme un murmure; une toux d'enfant quelque part à l'autre bout de la maison. Peu à peu, la vie reprenait son cours. La voix de Florence résonnait du rez-de-chaussée. Des gamins piaillaient dans le couloir; des pas légers s'égrenaient sur le plancher. Vers dix heures, les hommes revenaient enfin, avec dans les paniers de leurs vélos les journaux du matin et des produits du marché. Le retour de Bertier et d'Aurélien, l'éclat soudain de leurs voix dans la maison mettaient fin à ma torpeur. Alors, je sortais de ma chambre et je les rejoignais, sans avoir presque rien écrit.

Nous passions l'essentiel de nos journées sur la plage. Nous y accédions par un long chemin ombragé balayé de vent ; et puis là, soudain, cette mer à perte de vue, scintillante de sel et de lumière, s'offrait à nous. Je n'avais jamais vu de surface aussi immense, aussi lisse et aussi nette. À marée haute, de grandes vagues venaient se tordre jusqu'au rivage dans un bruit de roulis régulier. Aurélien et Guillaume s'y jetaient avec une insouciance d'adolescent, en poussant des cris rauques dès qu'un rouleau venait se refermer sur eux. Anna et moi nous contentions d'une brasse lente, mesurée. Je nageais longtemps, face à l'horizon, loin du rivage. Peu à peu, mon corps retrouvait l'épaisseur qu'il avait perdue le matin même, alors que j'essayais d'écrire. Je ressortais de l'eau épuisée mais forte, pleine de moi-même. Puis, le corps laqué, les jambes engourdies, j'allais rejoindre Bertier en longeant la mer et en cherchant des yeux Aurélien.

Il ne revenait de la baignade que bien après nous, à bout de souffle, et pourtant débordant encore d'énergie. « Bon, Bertier, tu ne viens pas faire trempette ? » lançait-il en courant jusqu'à nous. Mais Bertier préférait rester là à lire les *Noces* d'Albert Camus.

« De quoi ça cause ?

— Des soirs d'été en Algérie. De la couleur du soleil au crépuscule, du parfum entêtant des absinthes. De la gloire qu'il y a à être vivant.

— Mon vieux, vous devriez immédiatement laisser ce bouquin et découvrir par vous-même la gloire qu'il y a à se jeter dans les vagues.

— Mon vieux, je vous trouve bien désobligeant. Mon bonheur m'appartient ; et si je le trouve dans Camus plutôt que dans une eau à quinze degrés, eh bien laissez-moi. »

Et c'est ainsi qu'ils se lançaient dans leur traditionnel jeu de rôle. Bertier, dans une vaine tentative, se mettait à lire un extrait du livre en question, ce qui aussitôt assommait Aurélien. Je les revois tous les deux, assis sur le sable devant moi, avec leur dos courbé et leurs grandes jambes velues de garçon. La peau d'Aurélien était encore blanche : seule sa nuque était blessée d'un coup de soleil. Je m'amusais à compter les grains de beauté sur son dos, comme une constellation autour de sa colonne vertébrale ; et soudain, comme par surprise, son rire s'envolait à une parole de Bertier ; alors il se relevait, enfilait un tee-shirt. « J'ai faim, bon sang ! » lançait-il ; et d'un geste il nous invitait à le suivre.

Nous déjeunions tard, parfois en plein milieu de l'après-midi, sur la terrasse de restaurants cossus mais déjà déserts. Groggys, fatigués par la nage, nous dévorions des plateaux de fruits de mer. Je garde un souvenir très net de ces festins : les nappes écrues charriées par le vent ; la fraîcheur des huîtres sur la langue ; le goût d'un simple morceau de pain trempé dans l'huile d'olive. Ces après-midi avaient quelque chose d'irréel.

Nous étions les derniers clients ; il n'y avait plus personne sur le port. Alourdies par le vin et la lumière, nos paupières se fermaient toutes seules. Vers seize heures, rassasiés, à moitié ivres, nous retournions à la maison des Schwartz en roulant péniblement sur nos vélos, puis nous nous écroulions sur nos lits pour de longues siestes presque indécentes, jusqu'à l'heure du dîner.

Quand je repense à ces jours d'été, j'y vois l'image même du bonheur. Il était là, presque palpable, dans un verre de vin partagé au crépuscule sur la terrasse ; dans une lame de soleil striant la pénombre de ma chambre, à l'heure de la sieste ; dans ces promenades sur la plage déserte, au moment où la mer se retire et où on a l'impression de marcher sur un miroir. Comme ce soir où j'avançais, complètement absorbée par la lumière, et où en me retournant j'avais surpris Aurélien et Bertier parler en faisant de grands gestes. De quoi débattaient-ils ? La discussion était sûrement partie de quelque chose de dérisoire (du droit de se mettre nu sur la plage, me semble-t-il), et prenait des proportions métaphysiques. Leurs cheveux volaient dans tous les sens ; ils étaient un peu ridicules. Et je me souviens de m'être dit, à ce moment-là, que je n'avais pas besoin d'autre chose. Toute ma vie aurait pu tenir dans cet instant, comme une boule que l'on saisit dans la main. Voilà ce qui comptait : c'était cela, c'était ce moment. Alors, à quoi bon écrire ? À quoi bon mettre des mots là-dessus ? Tout ce que j'avais vainement cherché dans l'écriture – l'épaisseur, la contenance –, je l'avais trouvé : les choses étaient pleines, solides. Elles se suffisaient à elles-mêmes.

Le jour suivant, les parents de Guillaume arrivèrent de Metz. On fit un peu plus de place dans la maison. Et le soir même, on fêta les fiançailles.

On organisa un grand repas sur la terrasse, un de ces repas qu'Anna m'avait souvent décrits quand nous étions à l'internat. Tout l'après-midi, cela avait été l'effusion dans la cuisine, les femmes d'un côté, les hommes de l'autre, pour préparer le banquet. On avait dressé une grande table sous les arbres, avec des fromages, des melons, des viandes rôties et comme vernies d'or. Les verres de vin rouge scintillaient sous les lampions. De cette soirée, je n'ai gardé que des images vagues, ondoyantes comme dans les peintures de Renoir : Florence caressant son ventre paresseusement ; Bertier en pleine discussion avec le père d'Aurélien. Je me souviens aussi qu'Anna portait un jupon en tulle blanc, comme une danseuse, qui lui tombait sur les mollets. Elle allait comme ça, pieds nus, les cheveux libres, au bras de sa grande perche de fiancé, et quand elle passait près de moi, son jupon me frôlait légèrement. Je la regardais, comme je l'avais regardée le soir au bord du canal. Elle n'avait pas à se poser de questions, à se sentir coupable si elle n'avait pas écrit de la journée, à chercher une quelconque reconnaissance dans la perspective d'être un jour publiée ; et j'enviais cette insouciance, cette simple présence au monde.

Comme elle, c'est la vie qu'Aurélien avait choisie – non par bêtise ou par paresse, mais, semblait-il, en toute connaissance de cause. Assis à côté de Bertier, si nerveux et emporté, il semblait doué d'une sagesse paisible. Ses yeux se posaient sur nous avec cette ruse mystérieuse qui lui était familière. Avait-il déjà le pressentiment, même informulé, de ce qui se passerait quelques jours plus tard ? Je me le suis souvent demandé.

Il y eut d'ailleurs un signe avant-coureur, quelque chose d'anodin pourtant, sans aucun lien avec le reste. Vers le milieu de la soirée, il saigna du nez. Brutalement. Une ligne rouge apparut sous la narine, coula jusqu'à sa bouche, dans ce creux chez lui si prononcé. Une goutte, puis deux, tombèrent sur la nappe blanche.

« Oh, vous inquiétez pas, c'est rien », dit-il. Et d'un mouvement brusque, il se leva de sa chaise, la gorge renversée, puis disparut à l'intérieur.

Quand je le rejoignis dans la salle de bains, il était assis sur le rebord de la baignoire, un coton sous les narines. Le lavabo était taché de sang ; plusieurs mouchoirs en étaient déjà imbibés.

« Ça n'arrête pas de pisser ! » lança-t-il presque en riant. La vue de sa propre blessure l'amusait comme un petit garçon.

« Fais voir ? »

Je m'approchai de lui. Son visage était là désormais, tout près du mien. Il avait la tête en arrière ; sa pomme d'Adam ressortait. Il dégagea le coton. Une seconde plus tard, un mince filet de sang se remit à couler sur sa lèvre, très lentement. Le temps se suspendit. Comme si quelque chose basculait. J'ai senti mon cœur se broyer dans ma poitrine. Je ne sais pas pourquoi cette image m'a saisie, pourquoi elle est restée ancrée en moi toutes ces années, si précise. La peau blême d'Aurélien. Sa bouche pourpre, gonflée, comme une tache rouge sur son visage. Et cette fragilité soudain, cette impression qu'il était bien plus vulnérable que nous tous.

C'est à ce moment-là qu'il m'a embrassée.

Sa bouche était chaude. Je ne me souviens pas du goût métallique du sang. Au contraire, ses lèvres avaient une odeur suave, presque lactée, quelque chose qui rappelait ces berlingots au lait concentré que les gamins suçaient à cette époque. Je me souviens aussi de son souffle, profond et mesuré comme celui d'un crawleur ; je respirais au même rythme que lui, calmement, le ventre décrispé, et quelque chose montait en moi – pas seulement le désir, non, mais cette impression de plénitude que j'avais ressentie la veille sur la plage. C'est difficile de parler d'un baiser, mais, après tout ce temps, voilà à peu près ce qui m'est resté de ce moment-là : un goût de lait au bout des lèvres, et la douceur incroyable qui l'accompagna.

« Aurèle, ça va ? »

C'est la voix d'Anna dans le couloir qui nous a interrompus. Aurélien m'a lâchée, très doucement, et il est reparti sur la terrasse comme si rien ne s'était passé. Le repas a suivi son cours. Anna et Guillaume ont levé leur verre. Les enfants se sont assoupis peu à peu. Les lampions se sont éteints au-dessus de la table en désordre.

Ce soir-là, je me suis couchée dans le lit d'enfant, et j'ai attendu, patiente et immobile. J'étais calme; je ne tremblais pas. Lorsque Aurélien est entré dans la chambre, je n'ai perçu de lui que la surface lisse de sa peau, mate et légèrement bleutée dans la pénombre. Il n'a rien demandé; il s'est simplement glissé contre moi, et j'ai senti ses jambes, ses grandes jambes de garçon, s'enrouler dans les miennes dans le petit lit trop étroit pour nous deux. Il a murmuré deux ou trois phrases; il a ri, d'un rire silencieux, tout contre mon visage. De nouveau, il m'a embrassée. J'ai retrouvé sur ses lèvres le goût de lait; mais, comme je l'avais autrefois imaginé, le reste de sa peau avait quelque chose de salé, et de brûlant. Son corps tout entier portait la trace de la mer, du sable, et des longues heures de nage de l'après-midi. Le vent avait rendu ses cheveux rêches; le soleil avait tanné sa peau. Et je sentais sur moi ce corps chaud, plein de force et de jeunesse, me recouvrir tout entière comme une ombre bienfaisante. Je serrais dans mes bras son dos gigantesque, quand je l'ai senti venir en moi. Aurélien faisait l'amour lentement, presque sans qu'il y paraisse, en ondulant, comme un nageur ; le ventre collé au sien, la bouche plaquée contre son épaule, je laissais ces vagues monter en moi l'une après l'autre et décrisper un à un tous les muscles de mon corps. À la fin, il a poussé au creux de mon cou un gémissement presque plaintif. Et puis, il s'est couché à côté de moi et, pendant de longues minutes, il a passé sa main sur mon corps. Je me souviens de cette caresse, simple et généreuse ; de cette paume coulant sur ma peau, comme s'il la polissait, comme s'il la faisait resplendir de lumière. J'avais encore envie de lui ; il l'avait compris. Alors, il a continué, plus bas. J'ai senti au creux de mes cuisses l'ondoiement de sa main, comme un frôlement d'abord, puis de plus en plus fort – jusqu'à ce que j'explose à mon tour, pour la première fois.

Aurélien est revenu le lendemain, et la nuit d'après encore.

Nous ne dormions presque pas. On faisait souvent l'amour ; entre-temps, on chuchotait, et nos bouches étaient si proches l'une de l'autre que je pouvais happer son souffle. Nos discussions n'avaient rien de solennel ni de romantique. Aucune promesse, aucune confidence : nous nous contentions de l'immédiat pur et simple. Dans l'intimité, le langage d'Aurélien prenait un caractère légèrement obscène. Étrangement, je n'en étais jamais choquée. J'aimerais pouvoir retrouver avec exactitude toutes les paroles que nous nous sommes murmurées ces nuits-là ; les mots précis qu'il employait pour parler de mes seins ou de mes fesses ; ce qui soudain ravivait son désir. Mais, à l'aube, j'oubliais tout. À sept heures, Aurélien bondissait du lit ; je devinais dans la lumière son corps nu, son corps de jeune homme légèrement ridicule après l'amour, et puis je m'endormais après qu'il avait quitté la chambre, d'un sommeil profond et bienheureux.

À mon réveil, le souvenir de ces nuits avait quelque chose d'irréel. Le corps amolli, lourd de sommeil, je tardais à me lever. Jamais le mot « grasse matinée » n'eut plus de sens que ces matins-là, où les draps défaits, imprégnés de nos odeurs, semblaient légèrement crasseux. Je m'y lovais encore un long moment, à me remémorer les caresses de la nuit et à rêver vaguement. Puis, je prenais ma toilette avec un soin de petite nymphe, presque amoureuse de moi-même, stupide de bonheur. Je repensais à Aurélien ; j'avais encore envie de faire l'amour. Je ne sais pas au juste ce qui, dans ces moments-là, éveillait le plus mes sens – si c'était le corps d'Aurélien, ou mon propre corps à moi, dont je découvrais pour la première fois la volupté. Je me sentais incroyablement désirable ; si je l'avais voulu, j'aurais pu séduire tous les garçons de la terre. Moi, la jeune khâgneuse si sage et si scolaire, je devenais soudain frivole. Aurélien aimait bien cette idée ; il me l'avait dit, une fois, dans l'intimité, que derrière mes airs d'intellectuelle, il avait toujours su que j'étais au fond « une sensuelle qui s'ignorait ».

La matinée était déjà avancée lorsque je descendais enfin sur la terrasse. La maison était calme. Je restais souvent là, avec Anna, à éplucher les légumes pour le repas de midi tout en regardant les enfants jouer à l'ombre des arbres. J'attendais le retour des garçons avec une impatience fébrile. Un jour, Anna le remarqua.

« Il se passe quelque chose, n'est-ce pas ? »

Depuis un certain temps déjà, elle avait deviné ce qui se passait entre Aurélien et moi.

« Tu es si épanouie depuis que tu es ici... Heureusement que Bertier n'y voit que du feu ! » dit-elle en riant.

Car, ajouta-t-elle, c'était évident que je l'intéressais. Mais le pauvre garçon ne savait décidément pas s'y prendre. Avec les filles, c'était toujours affreusement compliqué ; à force d'idéalisation, il n'avait pratiquement jamais connu que des histoires platoniques.

« Attention quand même, dit-elle. Ce serait vraiment dommage de briser leur amitié. »

Naïvement, je ne m'étais même pas posé la question. Je devais penser que Bertier se réjouirait de notre histoire, et que les choses continueraient comme avant : les soirées dans Paris, les repas jusqu'à plus d'heure, les conversations littéraires et les pitreries d'Aurélien. Je n'avais pas réalisé que, quoi qu'il arrive, l'équilibre que nous avions atteint tous les trois cet été venait d'être rompu, et que nous ne pourrions plus le rétablir.

Pour l'heure, Bertier ne soupçonnait rien. Son esprit était tellement accaparé par ses préoccupations intellectuelles que la réalité semblait lui échapper. De toute façon, Aurélien savait parfaitement s'y prendre pour ne rien laisser paraître : le jour, il redevenait l'ami légèrement distant et mystérieux qu'il avait toujours été, comme si nos nuits passées ensemble tenaient de l'enchantement. Parfois, je m'amusais en secret à attiser son désir ; je laissais sous ma robe ma poitrine nue, pour surprendre son regard. De temps en temps, je le devinais, mais je n'étais jamais sûre de le voir à nouveau pousser la porte de ma chambre la nuit suivante. Jusqu'à la dernière seconde, je restais suspendue à ce moment. Et chaque soir, comme si c'était à la fois inespéré et parfaitement évident, il revenait.

En vérité, je n'avais aucune idée de ce qui allait se passer ; si notre histoire se prolongerait au-delà d'Oléron ; si Aurélien ressentait seulement quoi que ce soit pour moi. J'ignore encore ce qui a bien pu lui plaire chez moi. Peut-être avait-il simplement voulu me séduire et qu'à choisir entre moi et Bertier, qui lui était si précieux, il n'aurait pas hésité une seconde. Mais peut-être, aussi, qu'il m'a aimée. Je veux croire aujourd'hui que, derrière son détachement et son manque de sérieux, il y avait en lui bien plus de force et de loyauté qu'il n'y paraissait.

De tout cela, je n'en saurai jamais rien.

Trois nuits – voilà ce que j'ai eu d'Aurélien. Rien de plus. Le dernier jour, à dix heures du matin, l'été s'est terminé.

Jeudi 15 août

« Alors, me dit Tristan, tu as l'air bien lancée à ce que je vois. »

Je le devine derrière moi. Il est entré dans le bureau, prétextant chercher un livre dans la bibliothèque. D'ici quelques secondes, il va s'approcher, poser ses mains sur mes épaules ; puis, jetant un coup d'œil sur mes notes, il s'assurera que le travail progresse comme il se doit.

Cela fait plusieurs semaines que je le sens tourner autour de moi. D'habitude, je le tiens toujours au courant de l'avancée de mes manuscrits : je lui demande son avis, je lui lis mes brouillons. Pas un seul de mes livres ne s'est écrit sans lui. Mais, depuis trois mois, je me crispe dès qu'il aborde le sujet. Le soir, à table, nous ne parlons plus que de son travail ; je m'esquive dès qu'il s'agit du mien. Jusqu'à présent, il a respecté ma réserve sans broncher. Il doit peut-être penser que, si je suis si secrète, c'est que je prépare le chef-d'œuvre qu'il attend depuis longtemps. Celui qui couronnera ma carrière.

« Ça avance. Ne t'inquiète pas. »

Il y a quelques mois encore, j'étais loin de me douter que j'en serais là. Je venais de terminer la promotion de mon dernier livre, qui s'était bien vendu. Après quelques semaines de repos, je commençais à réfléchir à ce qui serait mon dix-huitième ouvrage. Tristan me conseillait de revenir au roman historique ; quelque chose qui se déroulerait sur fond de guerre mondiale, d'occupation allemande et de résistance ; une histoire de secret de famille. C'était le genre de récit qui se vendait bien et qui pourrait peut-être me valoir enfin une reconnaissance critique. Je commençais tout doucement à mettre les choses en place : je relisais les ouvrages de référence pour me replonger dans l'époque ; je m'étais même plusieurs fois rendue à la Bibliothèque nationale pour travailler. Les personnages émergeaient un à un ; la structure du livre se dessinait. Je n'allais pas tarder à écrire de nouveau.

Et puis, du jour au lendemain, j'ai tout laissé en plan. Les notes, les documents. Abandonnés sur le bureau. Je n'y ai plus touché.

Je n'aurais jamais cru que tout basculerait comme ça, après un matin si ordinaire.

C'était au début du mois de mai. Comme tous les jours, je me rendais à la piscine municipale pour faire mes longueurs avant d'attaquer ma journée de travail. D'habitude, à sept heures trente du matin, je suis la première nageuse à pénétrer dans le bassin. Pendant une demi-heure, les couloirs sont à moi. C'est le moment de la journée que je préfère : celui où, entièrement seule, je peux nager librement, sans croiser qui que ce soit. Durant les premières longueurs, je pense encore au roman que je suis en train d'écrire. Les phrases écrites la veille continuent de rouler en moi, au même rythme que le mouvement de mes jambes et de mes bras. Peu à peu, elles disparaissent. Ne reste plus autour de moi que le silence de la piscine déserte.

À partir de huit heures, les autres nageurs arrivent les uns après les autres. Ce sont, comme moi, des habitués, des nageurs avertis. J'en reconnais quelques-uns ; je les salue d'un signe de tête. Dans la vie réelle, j'aurais du mal à les identifier ; mais, ici, ils sont comme moi. Ils n'ont pas de visage. Leurs corps sont lisses, lustrés par la nage. Lorsqu'ils plongent dans l'eau, ils se fondent en elle ; ils traversent le bassin dans de larges mouvements de bras, ils ne s'arrêtent jamais, ils ne reprennent pas leur souffle. Ils glissent. Rien ne semble jamais les heurter.

Ce matin-là, pour une raison inexpliquée, je suis arrivée plus tard que prévu à la piscine. J'ai tout de suite compris que je le regretterais : car non seulement les bassins étaient déjà remplis d'une dizaine de baigneurs, mais il se trouvait parmi eux deux jeunes garçons particulièrement bruyants. Je ne les avais jamais vus jusqu'à présent ; je m'étais toujours figuré que les adolescents n'étaient pas matinaux et qu'ils venaient plutôt s'amuser ici l'après-midi. Je ne savais pas ce que ces deux énergumènes faisaient à la piscine ce matin-là, mais j'en étais irritée. Je faillis même rentrer chez moi.

Il m'a fallu du temps pour trouver mon rythme de nage. Crispés par ce vacarme inhabituel, mes muscles étaient comme engourdis. Je fis une longueur. Puis deux. Puis trois. Et, petit à petit, la mécanique de mon corps se remit en marche. Je sentis l'eau s'enrouler sous moi, sous la poussée de mes bras et de mes jambes. J'avançais. Je froissais de mon corps la surface lisse du bassin. Sur l'eau plane, sans défaut, je creusais un sillon.

Je pensais à mon prochain roman. Je pensais à ces phrases qui allaient germer, à ces idées encore chaotiques qui trouveraient bientôt un ordre. Et le plaisir montait en moi, à mesure que je perdais la sensation de mon être et que tout mon corps se durcissait jusqu'à n'être plus qu'une tension à l'état pur. Lorsque l'effort en devint presque douloureux, je me couchai, étendue sur le dos, les épaules et les fesses enfouies dans l'eau. Les oreilles immergées, comme enveloppées d'étoupe, je n'entendais à présent plus rien de l'agitation du bassin, de l'écho des voix, du bruit de la filtration. Je laissai mes bras le long du corps et, ne déroulant que mes jambes, je glissai en arrière. Lentement. En ligne droite. Je reculais en silence, les yeux fixés sur le plafond. Peu à peu, je me laissais dissoudre. Je quittais mon corps – attendant le moment où, tout entière, enfin, je disparaîtrais.

Un choc me fit soudain basculer. Un coup brusque sur mon tibia. « Eh oh ! Attention ! » criai-je. Et je découvris en me retournant un de ces deux gamins que j'avais vus en entrant. Il sortait de l'eau en escaladant le rebord juste à côté de moi.

« Pardon, m'dame », dit-il. Alors je le vis, tout ruisselant, relever son long corps d'adolescent sur le carrelage de la piscine.

Il enleva d'un geste vif son bonnet en nylon et ébouriffa sa tignasse de cheveux noirs. C'était un gosse comme un autre, une grande perche qui avait poussé trop vite, avec sous le thorax un creux plus prononcé que la normale. Il avait la peau extrêmement blanche, presque une peau de roux, et la bouche épaisse, sanguine, comme l'est celle des jeunes filles.

« Eh ! Regarde ça ! » cria-t-il au loin à son ami.

Je le suivis du regard : trimballant ses grandes jambes légèrement velues, il trotta jusqu'au plongeoir, revissa sur sa tête le bonnet de bain, voûta son interminable colonne vertébrale. Puis, presque instantanément, il plongea. Je vis l'ombre noire et blanche de son corps filer sous l'eau, dans le couloir des crawleurs, onduleuse comme une anguille, et ne ressurgir qu'au milieu du bassin. Il continua le reste de la longueur en papillon. La nage était encore imparfaite, maladroite : il se précipitait, battant l'eau de tous ses bras, dans de grands gestes sans grâce, avec l'intention sans doute d'impressionner son compagnon en pulvérisant un nouveau record.

Je restai ainsi quelques secondes, accrochée à l'échelle, à regarder nager ce grand garçon nerveux, brutal comme le sont tous les gamins de quinze ans. Comme Aurélien l'avait été, lui aussi, il y a longtemps.

Je sortis de l'eau, le corps laqué, les muscles raides. Mes jambes chancelèrent un peu, et il me fallut quelques pas pour retrouver la perception de la terre ferme.

Je n'avais pas fait vingt longueurs que je retournais déjà aux vestiaires. Impossible de nager dans ces conditions. En m'essuyant, je me rendis compte qu'à l'emplacement du coup, sous le genou, s'était déjà formé un hématome. Pendant un instant, la maigreur de mon corps me souleva le cœur. Comme d'habitude, j'évitai de le regarder ; je ne supportais pas sa nudité. Je pris ma serviette, et je continuai de frotter, comme pour enlever ma mue. Poncer ma peau comme une pierre qui s'effrite.

À la sortie des vestiaires, face aux miroirs, des jeunes femmes se remaquillaient. Elles, les nageuses qui tout à l'heure se confondaient les unes aux autres, se revêtaient à nouveau d'un visage. Elles appliquaient soigneusement le rouge sur leur bouche, le fard sur leurs paupières ; avec des gestes énergiques, elles brossaient leurs cheveux. Mais moi, je restais à l'état calcaire. Même sortie de l'eau, je conservais ce dos droit, ces épaules strictes. L'espace d'une seconde, j'aperçus mon visage dans l'une des glaces – et sa dureté me sidéra.

Il était déjà presque dix heures. Je ne m'étais pas rendu compte de mon retard ; depuis ma sortie du bassin, j'avais agi au ralenti, comme si quelque chose pesait sur chacun de mes mouvements. Il était temps de rentrer, de me mettre au travail, de retrouver la mécanique de la journée. Je me pressai vers la sortie. Et c'est là que je le vis, dans le hall, sur un banc juste à côté des distributeurs de boissons. Le jeune nageur qui m'avait cognée.

Je le reconnus à ses cheveux noirs en bataille. Il portait désormais un pantalon large et un sweet trop grand pour lui. Ses habits semblaient flotter autour de ce corps si maigre, dont j'avais aperçu tout à l'heure la nudité.

La tête renversée, il tenait plaqué contre son visage un mouchoir en papier. Debout à côté de lui, une canette de Coca à la main, se tenait l'ami à qui il avait montré tout à l'heure ses prouesses.

Je m'approchai.

« Tout va bien ?

– Il saigne du nez, m'dame », répondit son compagnon.

En me penchant légèrement vers son visage, je vis que le mouchoir froissé dans sa main était déjà à moitié trempé de sang.

« Vous inquiétez pas, ça m'arrive tout le temps en ce moment », dit le garçon.

Il dégagea alors la main de sa figure et jeta son mouchoir dans une poubelle toute proche. Pendant un bref instant, le temps qu'il en sorte un nouveau de son paquet, je vis couler, juste à la naissance des narines, un mince filet de sang.

Je détournai les yeux. Mon cœur se souleva.

« Vous devriez peut-être aller voir un médecin… » articulai-je. Je ne sais pas même ce qu'il a répondu. Je me suis précipitée vers la sortie. J'ai traversé le parking en m'efforçant de ne pas tituber. Je marchais comme si mes jambes étaient immergées dans l'eau, incroyablement lourdes tout à coup, incapables d'avancer. Il m'a fallu un temps fou pour regagner ma voiture et m'enfermer à l'intérieur.

J'ignore combien de temps je suis restée là, sans bouger, à essayer de contenir ma nausée.

Le sang rouge. La peau blême. Les lèvres épaisses, boursouflées, les lèvres de jeune homme, gorgées d'eau.

J'ai mis le contact. J'ai démarré.

Et c'est là que je l'ai sentie. Sur mon armure de ciment, la toute première fissure.

Chapitre 3

C'était notre dernier jour à Oléron.

La maison était encore en désordre. On n'avait pas eu le temps de laver les draps, ni de ranger le linge dans les armoires. Sur la table de la terrasse, les bouteilles du repas de la veille traînaient encore ; les jouets des enfants gisaient dans l'herbe du jardin. Ce devait être notre dernière journée de paresse. Les femmes s'accordaient encore une grasse matinée, tandis que les hommes, comme chaque matin, partiraient de leur côté. Ce jour-là, après leur petit déjeuner sur le port, ils avaient prévu de pousser un peu plus loin leur promenade à vélo pour aller pêcher dans les rochers. On rapporterait des coquillages pour le dernier repas du soir.

Aurélien s'était levé plus tôt que d'habitude. Je l'avais regardé enfiler ses affaires devant moi, le dos voûté, les jambes un peu chancelantes. Je ne sais pas pourquoi, mais je lui trouvais toujours quelque chose de fragile à ce moment-là, lorsqu'il se rhabillait.

« Qu'est-ce qu'on va faire maintenant ? lui demandai-je.

— Comment ça, qu'est-ce qu'on va faire ?

— Tu sais bien, nous deux. Quand on sera rentré à Paris. Qu'est-ce qu'on va dire à Bertier ? »

Tête baissée, les yeux cachés derrière ses mèches de cheveux noirs, il bouclait sa ceinture, sans rien dire. Bien sûr, je n'aurais aucune réponse ; et – j'en ai la conviction aujourd'hui – bien sûr qu'à notre retour à Paris il m'aurait sacrifiée à Bertier. Mais je ne voulais rien voir.

« Pourquoi tu ne dis jamais rien ? »

Il soupira, puis, sans relever les yeux, il s'allongea sur moi et plongea sa tête au creux de mon épaule.

« Parce que ça fait beaucoup de questions pour une dernière journée », murmura-t-il.

Il se releva, enfila un tee-shirt et disparut en un rien de temps.

Je n'avais aucune envie de me rendormir, encore moins de tourner en rond en attendant qu'il revienne. À mon tour, je décidai de me lever. Je m'habillai, descendis en trombe les escaliers, et, quand je rejoignis les garçons sur la terrasse, ils étaient déjà à califourchon sur leurs vélos, prêts pour le départ.

« Je peux venir avec vous ? »

Je savais que leur sortie matinale n'était réservée qu'aux hommes – mais l'attitude d'Aurélien me donnait, pensais-je, le droit de faire un caprice.

Paul était ravi ; les garçons également. Seul Aurélien semblait légèrement agacé de ma présence, comme s'il craignait de m'avoir désormais constamment sur le dos. On me prêta un vélo, et nous partîmes jusqu'à l'hôtel sur le port. À partir de là, Aurélien ne m'adressa quasiment plus la parole.

Le vent soufflait fort ce matin-là. Tandis que nous longions la plage en roulant le long des berges, je fixais des yeux la nuque d'Aurélien devant moi, rouge comme si on venait de le frapper. À cet instant, pour la première fois depuis notre rencontre, je le détestai. Je détestais ses mystères, son détachement, cette façon qu'il avait de toujours nous échapper. J'aurais aimé qu'il se retourne et me lance quelque chose comme : « Narsan, arrêtez de faire la gueule, bon sang ! Je vous aime. »

Quand nous sommes arrivés à l'hôtel, la salle du petit déjeuner était encore presque déserte. Je revois la grande baie vitrée qui donnait sur l'océan. Cela sentait bon le café et le pain grillé, et il y régnait cette ambiance feutrée des hôtels le matin, le bruit des couverts, le murmure des clients. On s'est assis à une table au fond. Le père d'Aurélien lisait *Ouest-France*, Bertier l'imitait avec *Le Figaro* ; Guillaume et Mathieu commentaient les résultats sportifs en engloutissant de grandes tartines de beurre. Aurélien ne parlait pas. Il me regardait à peine. Je garde encore cette image de lui ce matin-là, dans le hall de l'hôtel, complètement absorbé par quelque chose qui m'échappera toujours (était-il en pleine réflexion sur la manière la plus appropriée de rompre avec moi ? d'annoncer à Bertier qu'il m'aimait ? ou regardait-il simplement la mer derrière la baie vitrée, sans se poser la moindre question ?). À ce moment précis de la matinée, Aurélien nous était déjà à tout jamais absent.

Après le petit déjeuner, nous sommes repartis. Nous avons continué de rouler sur quelques kilomètres jusqu'à apercevoir l'estran. La marée était basse. Des enfants, jambes nues, dos courbé, ramassaient des coquillages qu'ils collectionnaient dans de petits paniers en métal. Plus loin, un adolescent faisait danser son cerf-volant ; à chaque virage, les cordes crissaient dans l'air comme une lame. Je me souviens aussi d'un grand chien qui jouait autour de nous et était venu me renifler les mains. Je suis restée là un peu avec lui, à lui frotter le dos ; quand j'ai relevé la tête, Aurélien et Bertier avaient déjà disparu derrière les rochers.

« Tu ne viens pas pêcher avec nous ? dit Mathieu en retroussant son pantalon.

— Non, ça ira. Je vais vous attendre ici. »

Assise sur ce qui restait de sable, j'ai regardé le ciel se couvrir et devenir de plus en plus métallique. Le vent soufflait toujours, pliant les roseaux à la lisière des dunes ; au loin, sur la grève, des bateaux de pêche amarrés faisaient tinter leurs mâts dans un vacarme croissant, comme pour prévenir d'un danger. Seule sur la plage, je continuais de bouder. Aurélien voulait que je le laisse tranquille ? Eh bien soit : je me promettais dorénavant de ne plus lui adresser la parole, jusqu'à ce qu'il me donne des explications. Tant pis s'il continuait de fuir : je ne m'abaisserais plus à lui demander quoi que ce soit sur notre histoire.

Je pensais à tout cela, avec cette intuition latente que le bonheur de l'été commençait doucement à s'étioler – lorsque je l'ai entendu soudain, déchirant l'air. Le hurlement de Bertier.

J'ai cru d'abord qu'il s'agissait d'un de leurs jeux stupides de garçons ; mais, la seconde d'après, je l'ai aperçu au loin, dans le vent, titubant, la bouche déformée. Paul s'est précipité ; Guillaume et Mathieu l'ont suivi. J'ai essayé de courir ; mais on aurait dit que mes jambes ankylosées m'empêchaient d'avancer. Le vent me barrait la route ; je trébuchais sur les rochers. Et devant moi, toujours, le cri de Bertier continuait de résonner.

« Aurélien ! Aurélien ! »

C'est là que je l'ai vu. Gisant à nos pieds.

Je revois l'image, sous mes yeux. Le torse nu, d'une blancheur sidérante. Les jambes, si maigres, qu'on l'aurait pris pour un gamin de quinze ans.

Sous le nez, une ligne pourpre s'écoulait, lentement, jusqu'à ses lèvres.

Je n'ai pas compris tout de suite. C'est en levant les yeux que j'ai vu la flaque de sang. Sur la surface luisante de la roche, le crâne fracassé.

*

Quand Guillaume, Bertier et moi sommes rentrés une heure plus tard, après avoir roulé de toutes nos forces depuis l'estran, nous le savions : sur cette maison de famille, dans laquelle les Schwartz avaient passé tant de vacances, l'été soudain se refermait. Plus jamais on ne traverserait le couloir, les pieds souillés de sable rapporté de la plage ; plus jamais on ne s'ennuierait dans le salon en attendant la fin de la pluie ; et plus jamais, le soir, sur la terrasse, on ne fêterait de fiançailles.

Christine et ses filles nous attendaient devant le portail. Paul les avait appelées depuis l'hôpital de La Rochelle pour les prévenir de l'accident. Aux dernières nouvelles, Aurélien était toujours inconscient. C'était un traumatisme crânien, avaient dit les médecins des urgences. Quelque chose de sérieux. Il faudrait sûrement opérer. On n'en savait pas plus.

Tous assis dans le salon, à attendre un nouvel appel, nous écoutions Bertier nous raconter la même scène encore et toujours. Ils étaient sur les rochers, à se chamailler comme d'habitude autour d'un débat absurde, lorsqu'ils avaient vu au loin un garçon courir après son cerf-volant, dont il avait lâché la bride. Aurélien s'était précipité pour le rattraper. Il n'avait pas fait attention, et il avait trébuché, bêtement, la tête en arrière, sur l'angle d'un rocher. Bertier ne s'était pas rendu compte de la gravité de la chute avant de voir le sang couler.

« C'est stupide, stupide ! » disait Bertier en tournant en rond devant nous.

Et puis le silence retombait.

Je revoyais les images. L'arrivée des secours. Son corps pantelant sur le brancard. Dans mon hébétement, une seule chose m'obsédait : le choc du crâne contre la roche. J'imaginais le bruit de craquement. La sensation de quelque chose qui se broie. Sous la fissure, les tissus gonflés de sang.

En dehors de cela, je ne ressentais rien.

On s'attendait à ce que Paul nous rappelle ; il n'y eut aucun coup de fil. Et puis, vers dix-huit heures, on entendit grincer le grillage de l'entrée. Derrière la baie vitrée, on aperçut Paul et Mathieu marcher jusqu'à nous, poussant à côté d'eux leurs bicyclettes. Avec eux, ils rapportaient aussi un vieux vélo brinquebalant : c'était celui d'Aurélien.

C'était presque une scène ordinaire. Les Schwartz, père et fils, rentrant de leur promenade quotidienne. L'espace d'un instant, à les voir ainsi traverser le jardin comme ils le faisaient tous les matins, on dut se sentir rassurés. Comme si on s'attendait à voir Aurélien surgir derrière eux.

Mais, quelques secondes plus tard, tout était fini.

« Il est mort il y a deux heures », dit Paul.

La suite, je l'ai oubliée.

Je ne me souviens pas du silence qui s'est abattu sur nous à ce moment-là. Ni des visages d'Anna, de Florence et de Mathieu lorsque les mots sont tombés. Ni de ce que nous avons bien pu nous dire après cela : *« Il est mort il y a deux heures. »*

Je ne me souviens pas non plus de ce que j'ai ressenti. Si j'ai crié ; si j'ai même pleuré. Je crois que non. La seule question que je me suis posée, c'est ce qu'avait bien pu penser Aurélien lorsque ses jambes avaient chancelé et que son crâne avait heurté le rocher.

« Alors mon vieux, c'est comme ça que tu crèves ? »

Aurélien a eu une mort si bête que, si on la lui avait racontée, il aurait sûrement trouvé une bonne plaisanterie à ce sujet. Il y avait dans tout cela quelque chose de grotesque, de presque ironique, qu'aujourd'hui je ne parviens toujours pas à m'expliquer. Je le revoyais, le matin même, bondir du lit avec cette énergie qui lui était propre. La vie débordait tellement en lui qu'il ne pouvait pas rester une seconde en place ; même dans ses phases de paresse, il restait pleinement vivant, conscient plus que nous tous du poids du réel. Il a suffi d'une maladresse. Une perte d'équilibre. Aurélien aurait pu mourir de mille autres façons ; mais il a fallu que ce soit ce matin-là. Alors que tout semblait encore possible.

« Je crois que ce serait bien de laisser les Schwartz entre eux ce soir, me dit Bertier. On ne peut rien faire de plus. Il faut rentrer. »

Le soir même, nous avons repris la route pour Paris.

J'ai tout oublié de ce voyage ; de ce que nous avons bien pu nous dire dans la voiture ; de ce qui s'est passé ensuite quand je me suis retrouvée seule dans ma chambre d'étudiante. Je crois simplement que j'ai dormi. Je me suis écroulée jusqu'au lendemain après-midi, d'un sommeil sans rêve et sans douceur, et quand je me suis réveillée, c'est comme si mon propre crâne à son tour se morcelait.

Le premier souvenir qui me revient, c'est le lendemain, lorsque Bertier m'a demandé de l'accompagner dans l'appartement d'Aurélien : il fallait récupérer des affaires pour l'enterrement. Les Schwartz étaient rentrés directement en Lorraine afin de préparer les obsèques ; pour les soulager, il s'était proposé de le faire lui-même. J'y suis allée, comme un automate, sans comprendre ce que je faisais. Là, pour la première fois, j'ai pris conscience qu'il était mort.

Je n'étais jamais allée chez lui. Je ne savais même pas où il habitait. Je m'étais toujours imaginé qu'il vivait dans un petit appartement plein de charme au cœur de Paris, avec des poutres apparentes et un vasistas toujours ouvert sur les bruits de la rue. Mais Aurélien vivait à l'est de la ville, dans une banlieue aseptisée. Pour se rendre chez lui, il fallait prendre le RER puis longer à pied sur un kilomètre une petite rue bordée de platanes. Il louait un studio dans une de ces résidences modernes que les agences immobilières qualifient de « standing », mais qui se défraîchissent en un rien de temps.

Quand Bertier a ouvert la porte de l'appartement, l'odeur d'Aurélien nous est montée au cœur comme un vertige. L'odeur d'un appartement de garçon, de ceux qu'on n'aère jamais et qui sentent la sueur et les grasses matinées. Une odeur familière, et rance pourtant, écœurante, comme si quelque chose pourrissait. La vaisselle s'entassait encore dans l'évier de la kitchenette. Sur la table basse, on pouvait distinguer la trace brune d'un bol de café, posé là dans une autre vie.

Des mouchoirs en papier éparpillés sous la table de chevet. La couette en désordre sur le clic-clac ouvert. Le drap encore froissé. Sur le bureau, un classeur avec une étiquette cornée, « cours de médecine – 1re année », des feuilles volantes, une carte postale ; un roman policier jamais terminé.

« Putain, mais qu'est-ce qu'on va faire de tout ça ? »

Le pire, c'étaient les tiroirs, remplis de bricoles jamais triées, tickets de caisse vieux de deux ans, calendriers périmés, stylos hors d'usage, tous ces objets anodins auxquels l'absence d'Aurélien avait conféré une sorte d'étrangeté hostile. Je n'avais pas idée jusqu'à présent de ce que pouvait être le véritable vide. Mais il était là, dans cet appartement en désordre, intact encore, et rempli tout entier de la présence d'Aurélien – comme si on venait tout juste de le manquer.

« Il faudra des jours pour tout débarrasser, dit Bertier. Regarde, c'est tout lui, ça, il ne rangeait jamais rien. »

On ouvrit le frigo. Il était presque vide ; des yaourts, du jambon, quelques canettes de bière. Et puis cette bouteille de lait ouverte depuis Dieu sait quand. Bertier la vida dans l'évier. Un liquide épais se déversa, jaune et fétide, et aussitôt mon cœur se souleva.

Je me précipitai aux toilettes. J'y restai de longues minutes, parcourue de spasmes acides qui ne voulaient pas s'arrêter. Je n'avais rien avalé depuis deux jours ; mais les nausées continuaient, brûlantes, comme si quelque chose en moi cherchait à sortir. Ce cri que je n'avais pas poussé, c'est là que je le crachais.

Quand je sortis enfin, sonnée, les jambes vacillantes, je retrouvai Bertier debout devant la penderie, un costume sur le bras, et dans l'autre main une paire de chaussures.

« J'ai trouvé ça pour l'enterrement. Tu crois que ça ira ? »

Alors, pour la première fois, je me rendis compte qu'il n'avait presque rien manifesté depuis la mort d'Aurélien, si ce n'est cette énergie incroyable à tout prendre en main pour aider les Schwartz à préparer les funérailles. Il était là, le corps raide, les yeux vides, d'un calme inébranlable. J'avais cru pouvoir l'aider, mais je sentais ma force se fendiller lentement, comme une armure qui craque.

« Ça ne te fait rien tout ça ? » ai-je dit.

Il fit comme s'il n'avait rien entendu et plia le costume, qu'il rangea dans un grand sac de sport posé à ses pieds.

À ce moment-là, je me suis laissée plier. Lentement. Pour la première fois depuis l'accident, je défaillais. Le corps vidé, les poumons broyés. Comme si ma cage thoracique se refermait sur eux.

Je ne sais pas combien de temps je suis restée comme ça, assise par terre, la tête dans les mains, tandis que Bertier restait debout devant moi, sans dire un mot.

J'ai fini par articuler quelque chose. « Je ne sais pas si je vais tenir. »

Et c'est là qu'il m'a répondu, je m'en souviens très bien : « Ça suffit maintenant. *Il faut être digne.* »

Je venais de comprendre : Bertier ne me consolerait pas. Pire, ma faiblesse devait avoir pour lui quelque chose de lamentable, de presque répugnant, inspirant ce mépris qu'on a pour un enfant capricieux. Je ne recevrais de lui aucune tendresse, aucune pitié. Après tout, qui étais-je pour me lancer dans un tel mélodrame ? Je ne connaissais Aurélien que depuis trois mois à peine ; je l'oublierais aussi vite qu'il était apparu dans ma vie. La véritable absence – celle que ressentiraient Bertier, Anna, et les autres membres de la famille Schwartz –, c'était celle qui se taisait.

J'ai dû me sentir honteuse. Alors, sans rien dire, nous avons refermé derrière nous l'appartement d'Aurélien, en emportant dans le sac ses dernières affaires, et nous avons regagné en silence la station de RER. Je regardais Bertier marcher devant moi, fixant des yeux ses épaules droites.

Avancer. Je n'avais peut-être que cela à faire. Ne pas penser.

Aurélien a été enterré deux jours plus tard, près de Metz, dans la petite ville où il avait grandi.

J'y suis allée seule, en train. Bertier était parti de son côté, il voulait rester quelques jours là-bas auprès de sa mère. Avant de partir, j'avais vidé toute ma penderie pour trouver la tenue appropriée. Je n'avais que des robes d'été, des fanfreluches, rien de convenable pour des obsèques. D'ailleurs, comment aurais-je pu prévoir tout ça ? Au dernier moment, j'avais acheté un pull noir et une jupe anthracite. Je m'étais toujours figuré les enterrements dans un décor d'automne, humide et froid. Mais l'été se prolongeait encore en ce mois de septembre ; il faisait chaud comme en plein juillet, et je suais sous ces habits de demi-saison. Dans le train, j'avais passé le trajet immobile, les genoux vissés, à regarder le paysage défiler. En l'espace de quatre jours, j'avais traversé la France d'ouest en est ; je quittais les plages d'Atlantique pour la rigueur lorraine. Dans ma sidération, je m'en rendais à peine compte. *Ne pas penser*, me répétais-je, *ne pas penser.* Et je me concentrais sur le crissement légèrement métallique de mes collants quand mes jambes se croisaient.

C'est Guillaume qui est venu me chercher à la gare. Je me souviens de sa silhouette oblongue qui m'attendait sur le quai, de ses yeux gonflés lorsque je m'étais approchée de lui pour l'embrasser.

« Comment va Anna ?

— Elle est très forte, m'a-t-il répondu. Je ne sais pas comment elle fait. Mais elle se relèvera. »

Il m'a déposée en voiture devant le funérarium. Je me rappelle le silence de la pièce, le murmure des gens. Tout était net, ordonné. Le cercueil était recouvert de couronnes. Bertier est venu me saluer ; il tenait dans ses mains une petite gerbe qu'il avait achetée en nos deux noms. On l'a déposée parmi les autres. C'était un bouquet de fleurs jaunes, avec un ruban sur lequel était écrit : « À notre ami ».

L'église était bondée, des voisins, des amis d'enfance. Ici, tout le monde connaissait « le fils Schwartz ». Une jeune fille est même venue lire un poème au milieu de la cérémonie. Je ne savais pas qui c'était ; peut-être une de celles qui, comme moi, l'avaient aimé. Elle parlait très près du micro ; je ne comprenais pas bien ce qu'elle disait. À vrai dire, je ne l'écoutais pas. Les yeux baissés, je regardais ma jupe, je regardais mes bas. « Il faut être digne » – je me répétais ces mots tandis que l'orgue se mettait à retentir. Je fixais des yeux les épaules d'Anna devant moi, fragiles et droites. Anna ne pleurait pas. « Il faut être digne », me disais-je – et à ce moment précis j'ai senti tout mon corps se crisper, et mon cœur se fermer dans ma poitrine avec une facilité déconcertante. Moi non plus, je n'ai pas pleuré. Je me levais lorsque le prêtre le demandait, non pas de façon mécanique, mais avec une force incompréhensible.

Je joignais mes mains, mais je ne priais pas. Je regardais le cercueil chargé de couronnes, je regardais le cercueil d'Aurélien, insensible – simplement un peu étonnée de l'aisance avec laquelle, soudain, je me débarrassais de sa mort.

Lundi 7 octobre

C'est fait. J'ai tout dit à Tristan.

Un jour ou l'autre, il fallait bien que ça sorte. Depuis des semaines, il se pose des questions, il me voit m'enfermer dans mon bureau sans comprendre ce qui se passe.

« Alors, me disait-il, tu ne veux toujours pas me parler de ton livre ? »

À force de me voir m'esquiver, il a fini par ne plus rien me demander. Peu à peu, une distance s'est installée entre nous. La rentrée littéraire, avec son habituelle agitation, est tombée à point nommé : depuis septembre, c'est à peine si je le vois une heure par jour. Souvent, quand il rentre le soir, je suis déjà couchée. Recroquevillée au bord du lit, je sens le frôlement des draps, le contact froid de son corps lorsqu'il vient me rejoindre ; et je ne peux empêcher chacun de mes muscles de se figer lorsqu'il s'approche trop près de moi.

Et puis, samedi soir, tout a éclaté.

Nous étions à Paris pour une de ces soirées mondaines que je déteste tant. Je n'avais pas remis les pieds dans la capitale depuis des mois. Tristan sait combien je rechigne à y retourner depuis que j'ai décidé de vivre recluse dans ma maison de campagne. Mais il faut bien, dit-il, jouer le jeu des relations. Cette fois-ci, il avait particulièrement insisté pour que je vienne. Alors, j'ai mis une robe, des talons hauts, un peu de maquillage, pour donner l'illusion que je suis encore une femme. Et nous avons roulé jusqu'à Montparnasse. C'était la première fois depuis longtemps que nous sortions tous les deux.

Une jeune auteure de Tristan, vingt ans à peine, vient de recevoir un prix pour son premier roman. Pour fêter cela, son attachée de presse a organisé une réception chez elle, dans un grand appartement bourgeois de la rue Péguy. Quand nous sommes arrivés, le salon était déjà peuplé de convives bruyants. Il y avait, comme toujours, des écrivains, des journalistes, quelques figures médiatiques. Et, perdue au milieu d'eux, si discrète qu'on l'aurait prise pour une stagiaire, la romancière en question.

J'ai lu son livre : une histoire d'adolescence, avec tout ce qu'elle peut avoir de violent et de naïf. Elle l'a, paraît-il, écrit d'un seul jet, en seulement trois mois. Le phénomène a vite pris de l'ampleur ; la gamine est partout. Les journalistes se l'arrachent, les ventes décollent. Tristan l'affiche avec orgueil, comme s'il s'agissait de sa propre fille.

« Tiens, je te présente ma femme », lance-t-il à sa protégée.

Poignée de main furtive ; paroles convenues. Et les voilà aussitôt qui disparaissent, noyés dans la foule des invités.

Adossée contre le mur, mon verre de vin entre les mains, je scrute les convives un à un ; ces hommes d'âge mûr à la voix grave ; ces femmes longilignes en talons hauts. Depuis quarante ans, leur allure n'a pas changé. Ils se dressent toujours là, devant moi, avec leurs sourires polis et leur air inatteignable. « Tiens, Laure Narsan ! Qu'est-ce que vous devenez ? » Ils commentent mon dernier livre ; ils me parlent de Tristan. Et ils finissent systématiquement par dire quelque chose comme : « J'ai toujours eu de l'admiration pour le couple que vous formez. » Mais je sens dans leur regard cette légère condescendance, qui leur fait murmurer entre eux, une fois que je suis partie : « Elle ne lui arrive pas à la cheville », ou : « Ses livres ne valent plus grand-chose. »

Ces gens, je les ai toujours connus. Ils étaient déjà là lorsque, à vingt-trois ans, mon premier roman a été publié et que je faisais mon entrée dans le « milieu littéraire ». À cette époque, je les regardais avec une fascination d'enfant. Ils étaient bien plus âgés que moi, plus riches aussi, plus élégants, et leur esprit me semblait cent fois supérieur au mien. Tout le reste de ma vie, je l'ai passé à essayer de leur ressembler :

j'ai imité leurs postures, leur langage, leur façon de penser. Mes droits d'auteur, je les ai soigneusement dépensés à adopter la même vie qu'eux. Mes amitiés, je les ai cherchées dans leur influence et leur renommée. Et tout cela, je ne l'ai fait que dans un but : devenir « écrivain ». Tout comme j'ai sculpté mon corps, tout comme j'ai dompté ma paresse, j'ai réglé ma vie sociale avec la même rigueur. C'est ce qui m'a le plus coûté. J'ai toujours tenu en horreur les périodes de « promotion » : les interviews, les dédicaces. Aujourd'hui encore, je réponds aux journalistes avec une naïveté pleine de gaucherie ; je ne perçois pas leurs pièges, leur ironie ; je manque de ruse et d'esprit. Tristan dit que c'est cela, mon pire défaut. « Tu ne sais pas te vendre. »

Contrairement à moi, il a toujours été à sa place dans ce milieu. Je l'aperçois de loin. Il est comme d'habitude entouré d'une horde de flatteurs qui papillonnent autour de lui, et, bien entendu, il ne me voit pas. Je ne sais pas comment il fait pour être tellement à l'aise avec les mondanités. Il doit avoir un don pour cela : depuis toujours, il retient le nom de chaque personne qui lui a serré la main ; il n'oublie aucun visage, ni aucun livre. C'est comme cela qu'il s'est fait connaître alors qu'il n'était qu'un simple stagiaire chez mon premier éditeur. Nous venions de nous installer ensemble, et il passait déjà ses nuits à lire tout ce qui se publiait à l'époque. C'était une stratégie habile : il pouvait ainsi se retrouver nez à nez avec n'importe quel auteur, fût-il méconnu, qu'il était immédiatement capable de lui parler de son œuvre, comme s'il ne connaissait qu'elle. Très vite, dans le milieu, on le repéra ; dans les cocktails où il m'accompagnait, on me disait à l'oreille : « Il est drôlement brillant, votre fiancé. »

C'est ainsi que, pendant toutes ces années, Tristan a été mon souffleur, mon aide-mémoire. Dès que j'oubliais le nom de quelqu'un d'important, il venait in extremis *me le rappeler ; lorsque je devais dédicacer un livre et que je n'avais aucune idée en tête, il trouvait toujours la formule adéquate. C'est lui qui m'a appris que le métier d'écrivain ne se limitait pas au seul acte d'écrire ; qu'il y avait une dimension sociale indéniable, et que, pour continuer, je devais m'y plier. Oh, je me doute de ce que l'on raconte : on prétend que, si j'ai réussi à m'imposer, c'est grâce à son soutien ; que, s'il n'avait pas été là, je n'aurais jamais pu faire une carrière aussi longue. Et c'est vrai. Sans lui, je ne me serais certainement pas embarrassée de leurs codes ni de leurs convenances ; et on aurait fini, tôt ou tard, par oublier mon existence.*

Mais, finalement, je suis toujours là. J'ai résisté à quarante rentrées littéraires, et à quelques centaines de soirées semblables à celle-là. Aujourd'hui, je suis une romancière d'âge mûr, aux cheveux grisonnants et au visage sévère ; le genre de dame que l'on respecte.

J'ai vu défiler après moi des dizaines de jeunes auteurs, qui à leur tour m'ont paru bien stupides. Cela fait longtemps que j'ai cessé de regarder ce monde avec admiration et servilité. J'ai perdu mes illusions, ma crédulité. Mais quelquefois encore, plantée au milieu de tous ces gens, je me demande ce que je fais parmi eux. Ils ont beau m'être devenus familiers, je ne sais toujours pas parler leur langage. Malgré mon âge, je sens encore remonter en moi cette légère honte lorsque je les vois poser sur moi leur regard. Leur jugement continue de me blesser et de me rappeler à quel point je suis médiocre.

Je ne sais pas combien de temps je reste là, seule, adossée au mur, à regarder osciller devant moi les lumières du salon tandis que l'alcool me monte à la tête. Parfois, quelqu'un vient me parler ; j'articule quelques mots, et puis on s'en va. Les voix résonnent ; les visages se brouillent sous mes yeux. Peu à peu, je sens chacun de mes muscles se relâcher, et mon esprit se dissoudre lentement dans le désordre de la pièce.

Sans que je m'en rende compte, la jeune romancière de Tristan se retrouve de nouveau à côté de moi. Je me retourne vers elle ; elle me tend la main comme si elle me voyait pour la première fois.

« On s'est déjà rencontrées tout à l'heure, vous ne vous souvenez pas ? Je suis la femme de Tristan.

— Ah, excusez-moi, dit-elle. J'ai l'impression d'avoir serré la main à mille personnes ce soir. »

Son visage poupin rougi d'excitation, ses vêtements bon marché détonnent avec le reste des invités. Sans doute a-t-elle toujours rêvé d'être écrivain ; je l'imagine, dans sa ville de province, seule et malheureuse, crachant toute sa rancœur sur le papier. Et la voilà ce soir, perdue au milieu de tout ce beau monde, si timide et maladroite qu'on la prendrait presque pour une idiote.

« Ne vous inquiétez pas, lui dis-je. Quand j'ai publié mon premier livre, j'étais aussi perdue que vous.

— Ah bon, vous écrivez ? Je ne savais pas… »

Je souris. Bien sûr, je ne m'offusque pas. Je me souviens qu'à son âge je me suis retrouvée plus d'une fois nez à nez avec de prétendues célébrités littéraires, dont j'ignorais parfaitement l'existence.

Je lui demande comment elle vit ce qui lui arrive ; si toute cette agitation autour d'elle ne lui donne pas le vertige. Évidemment, me dit-elle, les choses sont allées très vite, et elle n'a pas encore eu le temps de « réaliser ». Il y a six mois à peine, elle passait ses examens de psycho à l'université de Lille, sans se douter du séisme qui allait bousculer sa vie.

« Mais qu'allez-vous faire après tout cela ?

— Eh bien, écrire. Quoi d'autre ? »

Écrire, bien entendu. Quelle évidence. Quand le succès vous a été offert une première fois, comment ne pas continuer ? Et elle me parle de ses projets, de son deuxième roman déjà en route, des conseils de Tristan qui ne la lâche plus une seconde.

Mais, bientôt, je ne l'écoute plus. Et sans que je sache pourquoi, brusquement, une image remonte en moi.

Je repense à ce soir d'été, il y a longtemps, sur une plage d'Oléron. À ce moment où nous marchions devant la mer tandis que le soleil se couchait, et où, me retournant, j'avais surpris Bertier et Aurélien en pleine discussion. Je les revois, avec leurs cheveux ébouriffés et leurs ombres de géants qui se projetaient sur le sable ; et moi, avançant à quelques mètres d'eux, pleine de force et de sérénité. Soudain, je me souviens de cette pensée qui m'avait envahi le cœur, comme une évidence – presque un soulagement – : « Tu n'as pas besoin d'écrire pour vivre. »

« Tu n'as pas besoin d'écrire pour vivre. » Je me répète cette phrase, lentement, du bout des lèvres.

Ce qui s'est passé ensuite, j'ai du mal à le raconter. J'ai senti quelque chose en moi céder violemment. Comme une digue qui se rompt.

« Excusez-moi », ai-je dit à la jeune fille.

Et moins d'une minute plus tard, je me retrouvais dans le hall de l'immeuble, sans même un manteau sur le dos. Les bruits de la fête continuaient de résonner loin derrière moi. Qui s'était rendu compte de mon absence ? Tristan ne s'en étonnerait sans doute qu'au moment du départ. Mais peu importait. J'avais besoin de disparaître.

Pendant les deux heures qui ont suivi, j'ai marché. Cela faisait des années que je n'avais pas fait cela :

errer dans Paris. La nuit se levait. Autour de moi, les lumières des bars s'allumaient ; les rues se peuplaient d'une jeunesse bruyante. Au milieu de tout ce désordre, j'avançais, grelottante, comme une vieille dame désorientée. Mon regard se posait au hasard sur ces visages d'étudiants ; j'entendais leurs éclats de voix, leurs rires francs et joyeux comme l'avaient été autrefois ceux d'Aurélien et de Bertier. Qu'est-ce qui attendait tous ces jeunes gens ? Quelle vie s'ouvrait à eux ? Et je pensais à toutes ces promesses qu'ils portaient en eux, ces promesses qu'ils ne tiendraient jamais, mais qui leur donnaient à ce moment-là tant d'énergie et de beauté.

« Tu n'as pas besoin d'écrire pour vivre », me répétais-je.

Et je me suis soudain demandé ce qu'aurait été ma vie si Aurélien avait vécu. Je ne m'étais jamais vraiment posé la question avant d'écrire ce livre ; j'ai toujours cru que, d'une manière ou d'une autre, ma route m'aurait conduite à l'écriture. Ce soir, je n'en suis plus si sûre. Qu'il est facile, évidemment, de regretter sa jeunesse lorsqu'on a mon âge ; de se dire qu'on aurait pu faire d'autres choix, vivre une vie normale, et renier tout ce qu'on a patiemment construit pendant des décennies.

Mais j'en ai l'intime conviction aujourd'hui : ma vie d'écrivain, elle a commencé ce jour-là, ce jour de septembre où les jambes d'Aurélien ont chancelé sur les rochers. Ce que j'ai accompli ensuite, les mots que j'ai alignés, les livres que j'ai vendus, tout cela ne s'est joué que sur une maladresse. Un instant d'inattention ; un vacillement.

Car, s'il n'était pas mort, Aurélien m'aurait sans doute brisé le cœur à notre retour d'Oléron. J'aurais rencontré d'autres garçons ; j'aurais connu d'autres bonheurs. Peut-être même aurais-je eu des enfants, une famille comme celle des Schwartz, avec une maison toujours remplie. Cette force qu'il m'avait donnée cet été-là, cette confiance en la vie, je l'aurais gagnée une fois pour toutes, et c'est sur ses pas que j'aurais marché.

Au lieu de cela, j'ai suivi ceux de quelqu'un d'autre.

Je pensais à tout cela tandis que le taxi me ramenait à la maison. Il devait être une heure du matin lorsqu'il m'a déposée devant l'entrée. La lumière du salon était allumée.

J'ai retrouvé Tristan assis sur le canapé, son manteau et le mien posés sur ses genoux. Il m'attendait. Jambes croisées, visage austère. Quand je me suis assise à côté de lui, il n'a rien dit. Nous sommes restés silencieux de longues minutes. Et puis, calmement, sans même me regarder, il a dit :

« C'est Aurélien, n'est-ce pas, le sujet de ton nouveau livre ? »

J'ai acquiescé.

« Enfin, c'est ce que je pensais jusqu'à maintenant, ai-je ajouté. Mais, tout compte fait, ce n'est peut-être pas lui le vrai héros... »

Alors, il a levé ses yeux sur moi, et, pour la première fois depuis longtemps, j'ai vu son visage pâlir.

« ... Le vrai héros, je crois que c'est Bertier. »

Chapitre 4

Quelques semaines après l'enterrement, au début du mois d'octobre, je suis rentrée à l'université.

Je n'ai presque gardé aucun souvenir de cette rentrée. Tout cela s'est éteint en moi, comme si j'avais traversé ces quelques mois dans un état de sidération. Inscrite en lettres modernes à la Sorbonne, j'y avais retrouvé quelques anciens camarades de khâgne, mais je ne les fréquentais pas. Je suivais les cours, je rentrais chez moi. Les journées se répétaient, pâles, sans relief. Qu'est-ce que je ressentais exactement ? Je ne sais plus. Tout ce qui me reste de cette époque, c'est l'hébétement.

Peu à peu, les souvenirs de l'été perdaient leur acuité, leur consistance, et tout se brouillait dans la transparence de ces journées d'automne. Je prenais le métro, je marchais dans Paris ; le froid me traversait tout entière. Je ne sentais rien. Et puis, parfois, brusquement, sans que je m'y attende, quelque chose venait me percer le cœur. Le rire d'Aurélien explosait en moi, ou le goût de sa peau remontait à mes lèvres, avec une précision violente et aiguë. Alors, pour les faire disparaître, je refermais un peu plus fort autour de mon cœur les deux mains de ciment qui l'empêchaient de battre, et la brûlure finissait par s'apaiser.

Anna n'était pas revenue à Paris : elle avait décidé de rester à Metz auprès de ses parents et de mettre ses études entre parenthèses pour cette année. Elle m'écrivait régulièrement. En novembre, elle m'annonça que Florence avait accouché d'une petite fille. Malgré les événements, la vie continuait d'avancer – et c'était sur cela, disait-elle, qu'il fallait se concentrer, sur les belles choses qui restaient encore à vivre. Elle me parlait souvent d'Aurélien. On avait finalement débarrassé son appartement ; un jeune couple l'avait loué. Toutes les semaines, elle allait mettre de nouvelles gerbes sur sa tombe. C'était la plus fleurie du cimetière.

Je n'ai jamais osé retourner à Metz, bien qu'Anna m'y ait souvent invitée au cours de l'automne. Elle disait que cela leur ferait plaisir, à elle et à ses parents ; que, depuis l'enterrement, la maison était trop vide. Mais je n'avais pas le courage de les revoir. C'est à peine si je parvenais à trouver mes mots dans mes lettres à Anna ; affronter leur deuil face à face, cela m'était tout bonnement impossible. J'ai continué à lui écrire ; à lui promettre que, un jour, je reviendrais. Et, comme je m'y attendais, je ne les ai plus jamais revus.

Quant à Bertier, je n'avais pratiquement plus de nouvelles de lui. J'avais souvent hésité à le rappeler, et puis je n'avais pas osé le déranger. Anna m'avait dit qu'il repassait l'agrégation, cette fois avec plus de détermination.

Un jour, je le croisai par hasard dans les couloirs de la fac. Il s'était rasé les cheveux et la barbe, et il avait extrêmement maigri ; je faillis ne pas le reconnaître. Comme il n'avait pas beaucoup de temps, on prit simplement un café au distributeur, qu'on but sous les arcades de la cour. Il me parla du programme, des profs qu'il avait, et des heures passées à la bibliothèque. Finies cette fois l'approximation, les envolées délirantes dans les commentaires de texte, et les bonnes excuses pour céder à la paresse : la rigueur était devenue son mot d'ordre. Quand je lui demandai si son manuscrit avait finalement trouvé un éditeur, il me répondit qu'il ne l'avait même pas envoyé et qu'il avait décidé de renoncer définitivement à l'écriture.

« Si tu as le temps un de ces quatre, passe chez moi pour boire un thé. Ça me fera plaisir. »

Je ne sais plus très bien combien de temps s'est écoulé ensuite avant que j'aille lui rendre visite. L'automne devait déjà être avancé. C'est avec une boule au ventre que je pénétrai de nouveau dans cet appartement où je n'avais plus mis les pieds depuis le mois d'août et où je craignais que chaque objet ne renferme un fantôme. Mais les choses avaient changé. Le studio de Bertier n'avait plus rien à voir avec celui de l'époque. Tout y était désormais parfaitement rangé : les livres alignés sur les étagères, les cours triés dans de grands classeurs, le bureau impeccable. Au-dessus de celui-ci, il avait accroché un emploi du temps où figuraient, heure après heure, non seulement les cours, mais un programme de révision réglé à la lettre. Lundi : littérature française. Mardi : grammaire. Mercredi : version latine… Les résultats étaient déjà payants : jusqu'à présent, il avait obtenu la moyenne à toutes ses préparations et, malgré bien sûr les aléas du concours, ses professeurs se montraient tout à fait confiants.

Il parlait toujours avec l'énergie qui lui était propre, mais son débit était devenu plus mesuré, et son aisance, presque rhétorique. C'est à peine si je reconnaissais le garçon emporté de l'été dernier, dont les idées partaient dans tous les sens et que l'ivresse rendait même parfois lyrique. Où était passé Bertier, et son personnage de rêveur dont il riait lui-même ? Je me suis soudain demandé quelle formule aurait lancée Aurélien pour faire remarquer à ce jeune homme qu'il se prenait un peu trop au sérieux. S'il avait été là, il se serait sans doute levé d'un bond, et il aurait dit quelque chose comme : « Bertier, vous me faites chier. Ouvrez-nous plutôt une bonne bouteille. » Au lieu de cela, il continuait de me parler de l'agrégation comme si sa vie en dépendait, et je restais à l'écouter sans vraiment savoir ce que je faisais là.

« Et toi, me demanda-t-il, est-ce que tu continues d'écrire ? »

Je lui répondis que, depuis la mort d'Aurélien, l'idée ne m'avait même pas traversé l'esprit. Je me contentais de suivre les cours à l'université ; c'était à peine si j'arrivais à étudier convenablement. Depuis le mois de septembre, mon esprit était comme déficient. J'avais du mal à me concentrer ; je ne lisais même plus. Alors, écrire, je ne m'en sentais pas la force.

« C'est vraiment dommage. Tu as un potentiel pour cela. Moi, je n'en avais aucun ; j'avais juste envie de jouer à l'écrivain. C'est pour ça que j'ai laissé tomber. Mais toi, tu devrais continuer. »

Je n'ai pas répondu. Pendant quelques secondes, nous sommes restés là, sans savoir quoi dire. Et puis, j'ai fini par lui demander : « Il te manque ? »

Les mâchoires de Bertier se sont resserrées. Tout son visage s'est figé.

« Bien sûr qu'il me manque. Et après ? Il faut bien continuer d'avancer. Nous n'avons pas le choix, de toute façon. »

Il se leva, signe qu'il était temps que je parte pour le laisser étudier, et sur le pas de la porte il me dit : « Je suis à la bibliothèque Sainte-Geneviève tous les matins à partir de neuf heures. Si jamais tu te décides à écrire de nouveau, viens me rejoindre : c'est l'endroit idéal pour travailler. » J'acquiesçai vaguement. J'étais convaincue que c'était la dernière fois que je le voyais.

Quand je descendis ce soir-là la rue de Vaugirard pour rejoindre le métro, je compris à quel point les événements nous avaient séparés. Aujourd'hui encore, je continue de me demander comment, après l'été que nous avions passé ensemble, nous avons pu nous retrouver là, dans cette chambre, à parler d'agrégation et de littérature comme si nous n'avions jamais vu Aurélien mourir sous nos yeux un matin de septembre. La rigidité de Bertier me laissait un goût amer – cette façon qu'il avait de prendre le pouvoir sur sa vie, d'organiser les choses, de les maîtriser, tandis que depuis deux mois je ne faisais que m'effondrer. Je n'étais pas aussi forte que lui. Je ne pouvais pas le suivre. J'en eus la certitude ce soir-là, en poussant la porte de ma chambre : désormais, je serais seule.

L'hiver qui a suivi a achevé de faire de moi un fantôme. Pendant près de trois mois, j'ai disparu. Je ne suivais plus les cours à la fac. J'étais incapable de me lever le matin, de prendre le métro, de traverser les boulevards, d'écouter des cours qui n'avaient en moi aucune résonance. Le vertige ne me quittait pas. Chaque jour, il revenait, là, dans le ventre, creusant un peu plus fort.

Un soir, j'ai quitté la Cité universitaire et j'ai pris le train jusqu'à Tours, chez mes parents. Mon père est venu me chercher à la gare. Dans la voiture, il ne m'a pas posé beaucoup de questions. Ma mère m'attendait sur le pas de la porte. C'est comme ça que j'ai retrouvé le lotissement de mon enfance, ses maisons de crépi beige bordées de pelouses, et cette atmosphère particulière des banlieues calmes. Ma convalescence commençait. Elle dura près de deux mois.

La nuit tombait tôt ; les volets de la cuisine étaient déjà fermés lorsqu'on dînait tous les trois. Ensuite, mes parents se couchaient après avoir mis le lave-vaisselle en route ; j'entendais son ronronnement depuis ma chambre, où je restais toute la soirée. Blottie dans ce cocon étrange qu'était mon lit d'enfant, je ne m'endormais qu'après avoir longuement fixé des yeux les moindres objets de la pièce. Leur immobilité, intacte depuis que j'avais quitté la maison, m'était presque inquiétante. Le matin, je dormais longtemps, comme assommée par la chaleur de la maison et son silence qui pesait sur moi comme un édredon. Les heures s'écoulaient, blanches, feutrées. La mort d'Aurélien avait balayé mes illusions, mon énergie ; tout était nivelé en moi, comme broyé. Alors, de temps en temps, pour m'occuper, j'accompagnais ma mère au centre commercial ; le matin aussi, j'allais marcher avec mon père, le long des champs que le givre emprisonnait, et il y avait dans l'air quelque chose de métallique qui faisait remonter aux lèvres un goût de sang. Mais, la plupart du temps, je restais là, dans ma chambre, le visage frôlant le tissu blanc des rideaux, à guetter les moindres bruits du lotissement. J'attendais. Cela faisait longtemps, maintenant, que j'avais perdu toute réticence à sentir le vide me traverser.

Après les fêtes, mes parents me poussèrent à retourner à Paris pour passer les partiels du premier semestre. « Essaye au moins, ça ne te coûte rien », disaient-ils. Je n'avais pas mis les pieds en cours depuis des semaines, mon année était sans doute fichue ; mais puisqu'ils y tenaient, et qu'ils avaient tant besoin d'être rassurés, je les écoutai. En janvier, je repris donc le chemin de Paris, convaincue que je n'y resterais que quelques jours et que je retournerais très vite auprès d'eux.

Je passai donc mes premiers examens à la fac. Un matin, je me retrouvai au beau milieu d'un amphithéâtre rempli d'étudiants inconnus. L'épreuve durait trois heures ; je crois que c'était de la grammaire. Immobile, sidérée, je restai devant ma copie sans comprendre un mot du sujet. Et tandis que les autres candidats composaient autour de moi, j'écoutais le silence, ce silence très particulier des examens, auquel personne ne prête jamais vraiment attention. Alors, sans que je sache pourquoi, je me suis mise à penser à Bertier. Je l'imaginais, au même instant, dans cette bibliothèque où les bruits devaient être à peu près semblables ; penché sur une dissertation ou une version de latin, concentré, méthodique. Pour la première fois, je compris ce que tout cela signifiait – cet acharnement, cette énergie, cette rigueur maniaque qu'il s'imposait à tout prix –, je compris que, s'il avait choisi cela, c'était précisément parce que ce même silence lui était insupportable, ce même vide au creux du ventre ; parce que, face au chaos qu'était la mort d'Aurélien, il lui fallait imposer un ordre nouveau.

Je compris autre chose ce matin-là – c'est que, si je ne faisais pas immédiatement pareil, si je ne me mettais pas, moi aussi, à travailler, alors je finirais par me dissoudre, par disparaître, et que le seul moyen, absolu, nécessaire, de retrouver mon épaisseur, c'était d'écrire.

C'est ce matin de janvier, dans l'amphithéâtre, que j'ai noté ma première phrase. Sur une de ces feuilles roses qu'on donne aux étudiants en guise de brouillon. La première phrase de mon roman.

Quand l'examen s'est terminé (j'avais rendu copie blanche), j'ai pris mes affaires et j'ai marché, très vite, presque couru, le long de la rue Soufflot jusqu'à la bibliothèque Sainte-Geneviève. La grande salle était baignée d'une pénombre d'or. J'ai traversé les allées, de part et d'autre des grandes tables de travail, où le visage des étudiants m'était difficile à distinguer. Et puis, finalement, je l'ai trouvé – comme je m'y attendais, son écharpe autour du cou, la main posée sur le menton.

« Ah enfin, dit-il. Je suis content que tu sois venue. »

Après cela, je suis restée à Paris, et je n'en suis plus repartie.

Je rejoignais Bertier chaque matin, à neuf heures, quand la bibliothèque était encore quasiment vide. Peu à peu dans la journée, elle se remplissait au rythme du tourniquet d'entrée, et le silence dans la grande salle se fendillait de toutes parts comme quelque chose qui va craquer – mais c'est à peine si nous le remarquions. Bertier m'avait donné une astuce pour rester concentrée : des bouchons d'oreilles. Il en portait toute la journée, et il lui était désormais impossible de s'en passer. J'avais moi aussi très vite adopté ce rituel, qui donne l'impression de s'immerger dans un cocon, de s'enfermer en soi-même – si bien que, en levant les yeux, je m'étonnais parfois de voir la bibliothèque au complet, remplie d'étudiants dont la présence m'était jusque-là passée inaperçue. Il me suffisait alors d'ôter les boules *Quies* pour refaire surface comme une nageuse et prendre soudain conscience des heures que je venais de passer à écrire.

Bertier et moi travaillions huit heures par jour, quatre à Sainte-Geneviève, et quatre après déjeuner à la bibliothèque Ascoli – une petite salle à la Sorbonne réservée aux étudiants de lettres –, ce qui nous donnait la vague illusion de changer d'air. Nous faisions quelques pauses, toujours au même moment, devant la machine à café ou sur les marches du Panthéon, pour prendre une collation ou simplement nous aérer. C'était l'heure du bilan : il me soumettait son plan de dissertation, je lui faisais lire les pages que je venais d'écrire ; je lui donnais mon point de vue d'ancienne khâgneuse, il me conseillait sur telle ou telle formule. Nous étions concentrés, rigoureux, et surtout incroyablement efficaces. Le soir, la salle se vidait à nouveau autour de nous, dans cette lumière particulière des fins d'après-midi, et nous, nous restions là, inébranlables, jusqu'à la fermeture. Vers dix-neuf heures, il me raccompagnait à la station de métro avant de rentrer chez lui. En descendant les marches, je m'arrêtais toujours un instant pour le regarder partir, jusqu'à ce que sa silhouette disparaisse au coin de la rue Danton. J'aurais aimé parfois le retenir et lui parler d'Aurélien. Mais je n'osais jamais.

Voilà comment, pendant près de six mois, Bertier et moi nous sommes soudés dans l'étude, lui dans son agrégation, moi dans mon manuscrit, comment nous avons exercé notre force, patiemment, en nous usant les yeux dans la pénombre des bibliothèques. Notre amitié, c'est là que nous l'avons fondée : dans ces journées structurées et productives, où chaque heure d'étude nous donnait l'impression d'avancer un peu plus, où notre capacité de résistance se mesurait au nombre de pages noircies ou de plans bouclés.

J'avais bien sûr des moments de doute et d'abattement ; au cours de ces mois-là, je faillis même parfois tout arrêter et me laisser de nouveau envahir par le vertige. Mais, lorsque j'apercevais la silhouette de Bertier dans un coin de la bibliothèque, je me rappelais que je n'avais pas le droit de le décevoir. Quoi qu'il arrive, il était là. Fidèle au poste. Infaillible. Parfois, il m'arrivait de lever les yeux de mes carnets et de le regarder, simplement, avec ses épaules un peu frêles et son visage sévère, et alors je prenais conscience de l'appui qu'il était pour moi. Chaque ligne, chaque page écrite, c'est à lui que je la devais. J'avais même l'impression, quelquefois, de n'écrire que pour lui ; que pour ce moment où, après avoir lu les pages que je lui avais soumises, il me disait, gravement, sans sourire : « C'est épatant. » Il n'y avait que cela pour me faire avancer. J'avais mis mes études entre parenthèses ; j'avais perdu tout contact avec mes amis de prépa. Tout ce qui me restait, c'était cette énergie qu'il me donnait.

C'est comme cela que nous avons tenu cette année-là. Que nous avons, tant bien que mal, survécu à la mort d'Aurélien. Il ne se passait pas un jour sans que l'on se voie, sans que l'on se retrouve lui et moi côte à côte dans une bibliothèque déserte à l'heure où tout le monde est déjà parti, travaillant chacun de notre côté, concentrés, silencieux, et conscients pourtant du lien qui se nouait entre nous. Nous n'avions personne d'autre. Nous étions notre seule force.

C'est à cette époque que j'ai véritablement commencé à « écrire ». Jamais je n'avais été aussi prolifique. J'étais capable de noircir trois à cinq pages par jour, sans compter la recherche documentaire, les relectures et les corrections. Mon cerveau tournait en permanence, dès le réveil à sept heures, puis de plus en plus lorsque, à grandes enjambées, je traversais la rue Soufflot pour rejoindre Bertier à la bibliothèque. Je passais la matinée à revenir sur ce que j'avais fait la veille et à prendre des notes pour la suite ; puis, après notre pause de midi, cela repartait de façon presque frénétique jusqu'à la tombée du soir. Dès les premières semaines, j'en fus persuadée : je viendrais à bout de cette histoire, qui, pour la première fois de ma vie, ne se limitait pas à une simple nouvelle ou à un exercice de style, mais avait tout l'air d'être un *premier roman*.

Mon travail était aussi organisé que si je préparais moi-même l'agrégation. Je tenais deux carnets. L'un était consacré au texte proprement dit : c'était un grand cahier à spirale et petits carreaux, recouvert de Post-it ou de feuilles agrafées lorsqu'il me fallait ajouter un passage. L'autre était celui que j'avais acheté l'été précédent : j'en avais fait une sorte de journal de bord, où jour après jour je notais mes idées, comme pour avoir une trace tangible de ma progression. J'y avais élaboré l'architecture du récit, chapitre par chapitre, page par page ; je soulignais les titres, j'utilisais des couleurs, je traçais des flèches, comme si j'organisais un plan de dissertation. J'aimais ces deux carnets, j'aimais leur poids, leur épaisseur, qui me donnaient chaque jour la preuve du travail accompli. Plusieurs fois dans la journée, aux moments où l'attention se relâche, je les contemplais comme de véritables objets esthétiques – et je me demande parfois si leur simple confection matérielle, ce soin que j'y prenais, n'était pas tout compte fait aussi importante que leur contenu, comme pour ces écoliers qui s'appliquent à noter leurs leçons moins par sérieux que par pure maniaquerie.

Le *roman* se passait pendant la Première Guerre mondiale. C'était l'histoire d'une disparition. Celle d'un jeune homme parti au front.

J'avais imaginé les voix de ceux qui l'avaient aimé. Sa mère, sa fiancée, ses quelques amis. Je les laissais, tour à tour, prendre la parole, pour parler de lui.

Ce garçon, je l'avais appelé Julien.

J'avais passé plusieurs semaines à façonner la vie de mes personnages, comme si j'avais joué avec des poupées. Je les avais minutieusement préparés, les uns après les autres : je leur avais donné un visage ; je leur avais donné une voix. Tapie au creux de leur vie, je ressentais leurs moindres tremblements. Je pouvais percevoir avec exactitude ce qui se levait au fond d'eux lorsque le silence les enveloppait au milieu de l'après-midi, ou qu'un objet anodin leur rappelait tout à coup le souvenir de l'être absent. Mais ce qui me venait par-dessus tout, avec une acuité toujours intacte, c'était Julien. Je voyais son grand corps nerveux, aux longues jambes efflanquées, sa colonne vertébrale légèrement tordue de gamin qui a grandi trop vite. Je voyais sa peau blanche, ses cheveux noirs. J'avais fait d'Aurélien un jeune soldat ; Oléron avait laissé place à Verdun ; la chute sur les rochers s'était transformée en éclat d'obus. À mesure que se tissaient les fils de l'histoire, le chaos de l'été dernier trouvait, dans le chaos de la guerre, une cohérence nouvelle.

C'est à ce moment, je crois, que j'ai vraiment commencé à oublier. Dans ma poitrine, je les sentais, les mains de ciment continuaient de se refermer, tout doucement, d'écraser en elles les images d'Oléron et le rire d'Aurélien. Auparavant, il me fallait toujours un effort conscient pour les chasser de mon esprit ; mais, peu à peu, je n'en eus plus besoin. Quelque chose de mécanique s'opérait, de façon quasiment indolore. Je n'éprouvais aucune nostalgie. Aucune tendresse. Quelquefois même, sous cette armure, c'est mon corps tout entier qui semblait disparaître. Les heures passées à écrire me faisaient oublier les sensations élémentaires de la faim, du sommeil ou du plaisir. Ce n'était pas un vide comme celui que j'avais vécu au début de cet hiver-là : c'était une tension à l'état pur, qui me nouait le dos, m'asséchait les lèvres et me rendait aride. Je n'étais pas fatiguée. Je n'avais pas mal. Simplement, parfois, je m'étonnais un peu de croiser dans le miroir ce corps austère comme celui d'une vieille dame. Depuis cette époque, mon apparence physique a d'ailleurs peu changé. À vingt et un ans, je portais déjà sur mon visage cet air implacable qui ne m'a jamais quittée.

Les seuls moments où je reprenais de nouveau conscience de mon corps, c'est lorsque j'allais courir, le dimanche matin. Je n'avais jusque-là jamais été très sportive, mais c'est Bertier qui m'y avait poussée ; lui-même, chaque semaine, s'accordait une heure ou deux pour aller nager et se vider l'esprit. Je sortais de chez moi à l'aube ; je prenais le bus jusqu'aux quais. C'est là que je courais, sur les bords de Seine, à l'heure où l'eau est encore brumeuse et comme couverte de fumée. Le froid était vif ; il engourdissait ma peau jusqu'à l'anesthésie. Souvent, je peinais à trouver mon souffle, et il y avait toujours ce goût de sang qui me remontait dans la bouche et me donnait la nausée. Courir me faisait mal ; je détestais cela. Mais je continuais. Je refusais d'être épuisée. Je refusais de faillir. Chaque foulée, comme un choc, me faisait de nouveau rentrer dans mon corps, m'en faisait peu à peu reprendre le contrôle. Pas après pas, je polissais mon armure. Je piétinais ma faiblesse. Lentement, consciencieusement, je la réduisais à néant.

Mardi 15 octobre

Ce matin, je n'ai pas attendu le réveil de Tristan. Je n'ai pas fait semblant de prendre le petit déjeuner avec lui, d'aller à la piscine et de commencer une journée de travail comme les autres. Il faisait encore nuit quand je me suis levée. J'ai pris quelques affaires, de quoi écrire, et puis je suis partie. Sur la table du bureau, j'ai simplement laissé mon manuscrit, surmonté d'un Post-it : « Je pars quelques jours sur l'île d'Oléron. Ne t'inquiète pas ; au cas où, je te laisse le numéro de l'hôtel. En attendant, voici ce que j'ai écrit depuis le mois de mai. Tu peux lire si tu veux. Je t'embrasse. »

J'ai roulé toute la matinée. Je me suis souvenue que la dernière fois que j'avais pris cette route, en sens inverse, c'était avec Bertier, au début des années quatre-vingt-dix. Il faisait nuit ; nous n'avions pas dit un mot de tout le trajet. Aurélien était mort depuis à peine une dizaine d'heures. Nous laissions l'été derrière nous, sans savoir que nous ne le retrouverions plus jamais.

Depuis Oléron, je ne suis jamais retournée au bord de l'océan. Tristan et moi avons accompli d'autres voyages, d'autres périples ; nous avons fait toutes sortes de circuits dans des pays lointains ; et depuis une quinzaine d'années, c'est dans un petit village du sud de l'Italie que nous nous sommes fixés pour passer nos vacances. Avec le temps, j'ai fini par ne connaître de mer que la Méditerranée, et de paysage que celui de la Calabre, aride et rocailleux. Jamais je n'ai senti à nouveau cet air si particulier des plages d'Atlantique, mêlé de sel et d'embruns. J'ai oublié le rythme des marées, et le vent passé sur les longues étendues de sable. Et pourtant, ce matin, quand ma voiture s'est arrêtée aux abords de l'océan et que je suis sortie, je me suis immédiatement souvenue de tout cela. Ces lieux, je les avais déjà foulés. Ma vie antérieure, c'est là que je l'avais passée.

Elles ont quelque chose d'étrange, ces plages dépeuplées d'arrière-saison. Le vent fait crisser l'océan comme une machine ; le ciel métallique donne au paysage un air de fin du monde. Quand je suis arrivée, le rivage était entièrement désert, comme si aucun promeneur n'avait osé s'aventurer sur ce lieu hostile. Je suis restée là un moment, à regarder la mer. Ainsi, c'était donc cela, cette plage où j'avais été heureuse, cette plage que j'avais traversée aux côtés d'Aurélien et de Bertier. Dans mon souvenir, bien sûr, elle était restée incroyablement lumineuse ; comment pouvais-je m'attendre à la retrouver telle quelle en plein milieu de l'automne ? Malgré la bruine et le froid, j'ai enlevé mes chaussures. Et tandis que j'avançais, longeant la mer, je sentais le vent me traverser, comme s'il me dépouillait de moi-même.

Je ne sais pas exactement pourquoi je suis revenue ici. À quoi est-ce que je m'attendais ? Je croyais peut-être qu'Aurélien surgirait des vagues et que je l'apercevrais, courant vers moi, les cheveux dans les yeux, en me lançant : « Eh ben ! Tu en as mis du temps ! » Souvent, en rêve, je l'ai vu apparaître de cette façon. Il a toujours vingt-trois ans ; il vient à ma rencontre, sans savoir qu'il est mort, et, quand je le lui annonce, il croit que je me moque de lui.

Bon sang, comme elle reste vive, cette morsure, lorsque la réalité vient brusquement remonter en moi : Aurélien est mort ! Aurélien est mort ! Même après quarante-cinq ans, j'en reste sidérée. Combien de fois au cours de ma vie me le suis-je rappelé, presque avec étonnement, comme si c'était une blague. Et pourtant, quand je repense à tout cela, je ne peux m'empêcher de me dire qu'il ne pouvait en être autrement. J'ai du mal à imaginer comment Aurélien aurait pu vieillir. Serait-il devenu médecin en fin de compte ? Ou aurait-il continué de s'engluer dans le présent, sans jamais rien faire de sa vie ? À la longue, son indolence en serait devenue pathétique, et il aurait fini comme un de ces vieux garçons prisonniers de leur jeunesse, qui ne font plus rire et qui agacent. Tôt ou tard, il aurait perdu ce qui rendait sa présence si lumineuse et me l'avait fait aimer si fort cet été-là.

Naïvement, je croyais qu'il suffisait de revenir ici pour retrouver Aurélien. Faire cinq cents kilomètres en voiture et me retrouver sur une plage d'Atlantique, pour le ramener à la vie. Cela paraissait si simple. Presque à portée de main. Brusquement, je reçois au visage cette réalité : je ne reviendrai jamais. Tous ces lieux sont restés les mêmes ; mais ce que j'y ai vécu l'été de mes vingt ans, je ne le ressusciterai pas. Le silence de la plage me rappelle qu'Aurélien est mort il y a longtemps et que je suis peut-être la seule aujourd'hui à me souvenir encore de lui.

J'ai continué à marcher de longues minutes ; puis, ne sachant plus quoi faire, j'ai repris la voiture. J'ai longé le port, j'ai tourné en rond ; et, sans savoir comment, je me suis retrouvée au beau milieu des lotissements. J'ai garé ma voiture dans une impasse, et j'ai marché dans les rues désertes. Je voulais retrouver la maison des Schwartz. Mais je ne connaissais pas l'adresse, et je n'avais gardé de sa façade qu'une image brouillée. De part et d'autre de la route, toutes les maisons se ressemblaient. C'étaient de petites résidences aux volets fermés, bordées de terrasses vides et d'herbes jaunies. Çà et là, un parasol ou un vélo posé contre un muret trahissaient encore une présence humaine ; mais la plupart des jardins, tout comme les maisons, semblaient, en ce plein mois d'octobre, abandonnés de la civilisation.

C'est alors que je me suis retrouvée devant une façade qui m'était familière. Une allée poussiéreuse, jonchée d'épines de pin ; une baie vitrée donnant sur une grande terrasse ombragée ; et surtout, ces volets verts, ces petits volets clos comme ceux d'une maison de poupée, derrière lesquels se devinait le silence de chambres baignées de pénombre. Était-ce donc là ? Je n'en étais pas vraiment sûre. En quarante-cinq ans, la maison avait sans doute changé d'apparence. D'ailleurs, les Schwartz étaient-ils toujours propriétaires ? Paul et Christine devaient être morts ; mais peut-être que Florence, Mathieu et Anna avaient continué d'entretenir les lieux et que, chaque année, ils y revenaient avec leurs enfants et leurs amis pour y passer l'été, comme autrefois.

Qu'étaient-ils tous devenus ? J'ai souvent repensé à eux depuis que j'ai commencé ce livre. S'ils passaient devant moi dans la rue, je ne sais pas si je serais capable de les reconnaître. Comme moi, leurs cheveux ont dû blanchir et leur peau se faner. Je les imagine aujourd'hui, plus vieux que ne l'étaient Paul et Christine à l'époque où je les ai connus, entourés de leurs enfants et de leurs petits-enfants. Quel souvenir ont-ils gardé d'Aurélien ? Avec les années, sans doute n'est-il devenu plus qu'un nom sur une stèle du cimetière, que l'on vient fleurir à chaque Toussaint. « Aurélien Schwartz, 1968-1991 ».

Brusquement, un souvenir me revient. Je m'étonne de ne me le rappeler qu'aujourd'hui. Je l'avais depuis complètement effacé de ma mémoire. Ce devait être dans les années 2010. Où donc ? Probablement lors de ce salon du livre organisé chaque année par la ville de Metz. Je me revois, assise devant un stand où s'étalent mes romans ; je signe des dédicaces sous un grand chapiteau blanc où la chaleur est étouffante. Et c'est là, dans le désordre et les allées et venues, que je vois se planter devant moi une silhouette tout en rondeurs, qui me tend mon dernier livre. Sous la frange de cheveux noirs, de petits yeux bordés de rides me dévisagent avec malice.

« Bonjour madame, dis-je. Vous voulez que je le signe à quel nom ?

– Eh bien, Laure, tu ne me reconnais pas ? »

C'était Anna.

Je me souviens maintenant. Nous avons un peu discuté devant le stand. Après la mort de son frère, elle avait fait sa vie ici. À présent, elle enseignait le français dans un lycée de la région. Avec Guillaume, ils avaient eu trois fils.

« Trois garçons, tu imagines ! L'aîné a déjà quinze ans, et c'est le portrait craché d'Aurélien lorsqu'il avait son âge. »

Je ne sais plus si j'ai parlé de moi. J'ai dû paraître un peu distante, un peu hautaine. Peut-être s'est-elle dit que je la méprisais légèrement, maintenant que j'étais devenue écrivain. Avant de repartir, elle m'a dit : « Je suis ta carrière de près, tu sais. J'ai lu tous tes livres. J'en ai même étudié un avec mes élèves il y a quelques années. J'avais hésité à prendre contact avec toi pour t'inviter dans une de mes classes. Les gamins auraient été contents… Et puis, je ne sais pas pourquoi, je n'ai pas osé. »

J'ai dû répondre quelque chose comme : « N'hésite pas la prochaine fois, ça me fera plaisir. » Mais nous savions bien, elle et moi, que cela n'arriverait jamais. Je lui ai signé sa dédicace ; je ne sais plus exactement ce que j'ai écrit – sans doute une formule affreusement banale, car, en lui rendant le livre, je me suis sentie un peu embarrassée. Elle m'a remerciée ; puis, comme un autre lecteur attendait derrière elle, elle est partie. Je l'ai vue disparaître dans les allées, son petit sachet de livres dans les mains.

« Mon Dieu, me suis-je dit, comme elle a vieilli… »

C'est la dernière fois que j'ai vu Anna. Après cela, comme je m'y attendais, je n'ai plus eu aucune nouvelle d'elle, et je l'ai oubliée.

Mais ce matin, prostrée devant les grillages de cette maison de vacances, comme j'aimerais la voir surgir sur la terrasse, traverser le jardin pour venir à ma rencontre et me dire : « Tiens, entre donc ! » Je la revois ce soir où elle nous avait accueillis, Aurélien, Bertier et moi, le soir où nous étions arrivés à Oléron après des heures de route dans la petite R5 de Bertier. Je revois très nettement ce moment. La poussière, la chaleur. Et cette lumière de crépuscule qui barrait les yeux d'Anna lorsqu'elle était venue nous ouvrir les portes : « Vous êtes en retard, dis donc ! Qu'est-ce que vous avez fait sur la route ? »

J'ai sonné plusieurs fois à l'interrupteur du portail ; rien ne s'est passé. La maison était inhabitée. Et puis d'ailleurs, qu'importe qu'il y ait quelqu'un ? Plus rien ne pourrait faire revivre toute cette époque ; elle s'était écroulée en même temps qu'Aurélien, un matin de septembre 1991, à l'instant même où ses jambes avaient perdu leur équilibre sur les rochers.

Alors, je suis partie. J'ai regagné ma voiture et je suis retournée sur le port. Comme je n'avais toujours pas déjeuné, je me suis installée dans un de ces restaurants de bord de mer dans lesquels nous allions parfois manger après nos matinées à la plage. L'espace d'une seconde, je me suis vue. Assise devant la nappe beige d'un établissement cossu, je déguste des fruits de mer. Et, tout à coup, l'image me frappe en pleine poitrine. Voilà. Je suis une vieille dame. Il m'a suffi de quelques mois, le temps d'écrire ce livre, pour m'en rendre compte une fois pour toutes.

L'après-midi était déjà avancé quand je suis sortie. J'ai marché encore un peu dans les rues du port, toujours aussi sinistres, et puis j'ai rejoint mon hôtel – celui dans lequel, autrefois, Paul emmenait ses fils pour prendre le petit déjeuner, avant leur traditionnelle promenade à vélo.

« J'ai une réservation au nom de Laure Narsan. »

Le hall de l'établissement est le seul endroit qui n'ait pas changé. Comme dans mes souvenirs, j'aperçois, se reflétant dans le grand miroir derrière le comptoir en acajou, l'immense baie vitrée donnant sur l'océan. L'atmosphère de la salle est toujours la même : je retrouve ce silence, ces chuchotements, ces froissements de papier journal que l'on lit face à la mer, en prenant son café.

« Chambre 210, deuxième étage », me dit la demoiselle.

Et alors que je tourne le dos, elle m'arrête : « Madame, excusez-moi ! J'ai oublié de vous dire. Il y a un monsieur qui vous attend. Je crois qu'il s'est installé au restaurant. »

J'entre dans la grande salle, je le cherche des yeux. Et le voilà : installé dans un coin, face à la baie, jambes croisées. Tellement absorbé par ses pensées que bien sûr il ne daigne même pas jeter un regard au paysage qui s'offre à lui.

« Cela fait longtemps que tu es là ? »

Il lève les yeux, et il me sourit.

À cet instant précis, je comprends. J'ai peut-être fait tous ces kilomètres pour chercher quelque part une trace d'Aurélien ; mais, tout compte fait, c'est bien Bertier que je vais retrouver.

Chapitre 5

Un matin de mai, le nom de « Bertier » apparut sur la liste des candidats admissibles aux épreuves orales de l'agrégation.

C'est à peine s'il s'accorda deux jours de repos. Après un dîner au restaurant et une séance de cinéma (les premiers loisirs que nous nous accordions depuis des mois), il déclara qu'il s'était assez amusé et qu'il était temps de se remettre au travail. Aussitôt, il se jeta dans la préparation des oraux avec un acharnement redoublé.

Bertier passait désormais ses journées à s'entraîner aux épreuves en temps réel. « La mort dans *Voyage au bout de la nuit* » ; « L'art de la pointe chez La Rochefoucauld » : tous les matins, il choisissait un sujet de leçon et s'y tenait jusqu'au milieu de l'après-midi sans jamais lever les yeux de ses brouillons. Assise devant lui, je l'observais, le dos droit, le visage concentré, s'appliquant à souligner le titre de ses parties ou à recopier soigneusement des citations. Il avait beaucoup maigri depuis l'automne – mais cette maigreur n'avait rien de fragile : quelque chose en lui s'était durci, comme asséché, et chaque jour je voyais ses traits s'aiguiser sous la tension permanente de son visage. Lorsque enfin le temps imparti s'était écoulé, il posait son stylo, qu'il ait fini ou non, enlevait calmement ses bouchons d'oreilles et levait vers moi un regard résigné. « C'est mauvais, disait-il. Je crois que je n'y arriverai jamais. »

À mesure que les oraux approchaient, il connaissait de profondes phases de découragement. La concurrence d'autres candidats plus brillants le désespérait ; chaque jour, il regrettait de n'avoir jamais tenté d'intégrer l'ENS, où sa formation aurait été plus solide. « J'ai des lacunes immenses. Tu imagines que je n'ai jamais été au bout des *Misérables* », gémissait-il. J'essayais tant bien que mal de le rassurer, de lui rappeler à quel point cette année il s'était montré constant et rigoureux – mais, au fil des semaines, sa nervosité devenait de plus en plus palpable. Il finissait par ne plus supporter le moindre bruit ; à plusieurs reprises, devant des voisins de table un peu trop bavards, il avait perdu son sang-froid et les avait sèchement réprimandés. Moi-même, je craignais de le déranger, et, dans ces moments-là, je le sentais tellement à fleur de peau que j'osais à peine le regarder.

Je finis par remarquer que ces accès de sévérité survenaient surtout après ses retours de Metz. Une fois par mois, en effet, il s'accordait un week-end en Lorraine pour aller rendre visite à sa mère. Je savais qu'il en profitait toujours pour aller voir les Schwartz et se recueillir sur la tombe d'Aurélien. Plusieurs fois, il m'avait proposé de l'accompagner – mais j'avais toujours refusé. À son retour, il n'en parlait jamais, pourtant je sentais qu'il s'était fermé un peu plus et qu'il était devenu avec lui-même encore plus intraitable.

Un jour, alors qu'il était comme d'habitude en train de s'entraîner sur un sujet de leçon, il s'arrêta au beau milieu de sa préparation. Je levai les yeux vers lui, et là je le vis, lentement, d'un geste méticuleux, déchirer l'une après l'autre toutes les feuilles de son brouillon.

« Qu'est-ce que tu fais ? murmurai-je.

— C'est mauvais, c'est mauvais ! » lâcha-t-il entre ses dents.

Sous les regards interloqués des autres étudiants, il roula tous ses papiers en boule, les jeta à terre, puis d'un bond se leva et quitta la salle.

Quelques instants plus tard, je le retrouvai assis sur les marches de l'entrée, la tête dans les mains, le regard inexpressif. Quiconque l'aurait vu à ce moment-là aurait mis son état sur le compte de la pression et de la fatigue ; mais je savais qu'il y avait bien plus que cela.

« Tu es trop dur avec toi-même, lui dis-je. Depuis qu'Aurélien est mort… »

Je n'eus pas le temps de finir. À ce moment-là, il leva vers moi des yeux exorbités, comme si je venais de bousculer un interdit, et d'une voix éraillée il lança :

« Trop dur avec moi-même ? Eh bien, quoi ? Je ne veux pas mourir comme lui, moi, comme un con, sans avoir jamais rien foutu de ma vie. Qu'est-ce qui restera de lui, hein ? Tu peux me le dire, toi ? Qu'est-ce qui restera de lui ? »

Je n'avais rien à ajouter. J'aurais aimé le contredire, évoquer tout ce qu'Aurélien avait laissé en nous de vivant et de lumineux – mais rien ne venait. Tout était vide. Sous la coque dure, quelque chose avait cessé de battre.

Alors, nous sommes restés là, assis sur les marches, à regarder le bitume, jusqu'à ce que Bertier se décide enfin à reprendre sa leçon là où il l'avait laissée. Je l'ai suivi, et, comme tous les jours depuis des mois, nous nous sommes remis au travail, puisque nous n'avions rien d'autre à faire.

C'est la dernière fois que nous avons prononcé le nom d'Aurélien. Après cela, nous n'avons plus jamais reparlé de lui, ni de ce qui s'était passé à Oléron. Bertier lui-même espaça ses retours à Metz ; à son tour, il finit par s'éloigner des Schwartz et par ne plus avoir de nouvelles d'eux. Entre nous, c'était désormais clair : si nous voulions avancer, nous devions laisser tous ces souvenirs derrière nous. Et bientôt, sans que l'on y prenne garde, ils devinrent aussi irréels et lointains que s'ils avaient appartenu à une autre vie que la nôtre.

Dans les semaines qui suivirent, les choses s'apaisèrent. Bertier se remit au travail avec une rigueur plus mesurée, sans plus jamais montrer de signe de faiblesse. Quant à moi, tout s'accéléra, et c'est dans une précipitation haletante que je terminai la rédaction de mon manuscrit. Tout était prêt dans ma tête : les mots sortaient comme si je les avais crachés. J'écrivais ; j'écrivais en ne pensant à rien d'autre qu'à cette absolue nécessité d'en finir, d'aller au bout, de sceller le destin de Julien une fois pour toutes. Je n'avais aucune idée de ce que je ferais de ma vie, une fois que j'aurais fini. Derrière les grandes baies de la bibliothèque, l'été palpitait, mais je n'avais pas d'impatience à le retrouver. J'avançais avec la même ténacité que lorsque je terminais ma course sur les quais de Seine, le dimanche matin. Tête baissée. À bout de souffle.

Et un jour, enfin, je mis le point final.

Le texte tenait sur deux cahiers entiers. Il y avait trois parties, douze chapitres, un épilogue. Sur la première page, que j'avais laissée vierge, je notai en larges caractères : « Laure Narsan – *Le Jeune Homme* – Roman ».

Mon père ayant investi dans un ordinateur, je passai plusieurs jours à Tours pour le recopier. Les notes superposées tout au long de l'année retrouvèrent soudain leur ordre ; les ratures disparurent sous la netteté du traitement de texte. Au moment de l'impression, je regardai les feuilles sortir lentement une à une, plus lisses et plus propres les unes que les autres. Une heure plus tard, je me retrouvai avec un manuscrit de cent quatre-vingts pages entre les mains. Pendant un instant, je suis restée comme ça à le tenir, à sentir son poids, son épaisseur, étonnée moi-même de cette matérialité parfaite. Je ne sais pas pourquoi, mais c'est à ce moment-là que j'ai repensé à Aurélien, au jour où il avait été enterré ; j'ai repensé à son cercueil, à ce rectangle lisse et clos. Le manuscrit ressemblait au cercueil. Achevé, refermé, il faisait mourir Julien. Pour de bon.

Bertier fut bien sûr le premier à le lire. Pendant trois jours, je ne mis pas les pieds à la bibliothèque. Je refusais de l'appeler avant qu'il ait fini. Et un soir, enfin, il me téléphona pour me donner rendez-vous chez lui. Il n'en dit pas plus ; rien dans le son de sa voix ne laissait présager ce qu'il avait pensé du livre. Dans le métro, je ne pus m'empêcher de me demander ce qui arriverait si le roman était médiocre. Pour la première fois, je prenais conscience de cette possibilité : lui qui était si exigeant avec lui-même, comment ne le serait-il pas avec moi ? Et je l'imaginais à me répéter comme il le faisait devant ses propres copies : « C'est mauvais, mauvais ! » Que se passerait-il alors ? Est-ce qu'Aurélien continuerait de me manquer après cela ? Est-ce que le vertige recommencerait ? Tant pis, me disais-je, j'écrirais autre chose, je me remettrais aux études, je continuerais. Tout en descendant à pied la rue de Vaugirard, je me répétais ces mots pour ne pas sentir mes jambes trembler – mais, lorsque je poussai enfin la porte de l'appartement et que je rencontrai le regard de Bertier, je compris immédiatement.

« Tu as réussi », me dit-il.

Bien entendu, ajouta-t-il, il y avait quelques points à revoir, des descriptions à élaguer, et puis ces dialogues que j'avais un peu de mal à maîtriser. Oubliant pour un soir ses révisions, Bertier me proposa son aide. Et l'on passa ainsi la soirée à reprendre le manuscrit d'un bout à l'autre. On relut à voix haute des pages entières ; on ratura le texte à grands coups de stylo rouge, comme si on l'incisait. La fin fut légèrement modifiée, un chapitre entier se vit sacrifié, et, après de longues heures de débat, il fut finalement convenu que l'un des personnages connaîtrait un tout autre destin. Quand on leva enfin les yeux, il était près de deux heures du matin. Nous ne tenions pratiquement plus debout, notre esprit était incapable de fonctionner correctement, et devant nous le studio de Bertier était dans un désordre complet – mais jamais nous n'avions été aussi proches que cette nuit-là, aussi unis, convaincus que nous touchions du doigt *quelque chose*.

« Maintenant, dit-il, il ne te reste plus qu'à trouver un éditeur. »

J'en fus presque surprise. Je reconnais que cela peut paraître aujourd'hui complètement naïf, ou hypocrite, mais je n'avais jusque-là jamais vraiment pensé à une éventuelle publication. À aucun moment je n'avais envisagé que ce manuscrit puisse faire de moi un écrivain ; je n'avais fait que répondre à une urgence. Travailler, travailler encore, pour faire taire à tout prix la morsure d'Oléron. Si j'avais été athlétique, j'aurais couru le marathon ; si j'avais été douée de mes mains, j'aurais fabriqué des objets. Ce n'était pas plus compliqué que cela.

D'ailleurs, l'idée même d'avoir terminé me terrifiait. De quoi allais-je remplir mes jours ? Publiée ou pas, en attendant je devais bien faire quelque chose de ma vie. Cette année, j'avais laissé mes études en suspens : je serais sûrement obligée de repasser ma licence. Et après ? Comme Bertier, l'agrégation ? L'enseignement ? Comme il était difficile soudain de me projeter, d'envisager quoi que ce soit au-delà de cette soirée ! L'écriture du *Jeune Homme* m'avait vidée ; après ces mois de travail, je n'avais attendu que l'aval de Bertier. À présent, tout le reste m'indifférait.

« Et toi, dis-je, qu'est-ce que tu comptes faire une fois que tu seras agrégé ? »

Contrairement à moi, Bertier fourmillait de projets. Une fois le concours en poche, il s'inscrirait en DEA ; il rédigerait sa thèse ; il transmettrait aux autres sa passion de la littérature. Et puis, surtout, il rattraperait toutes les lectures qu'il avait mises entre parenthèses cette année-là. Avant trente ans, il se promettait de maîtriser tous ses classiques, mais aussi de perfectionner son anglais, d'approfondir ses connaissances en histoire et de combler ses lacunes en culture artistique. Bref, dit-il, il n'y avait pas de temps à perdre. Chaque jour de sa vie, il le consacrerait à devenir l'intellectuel qu'il rêvait d'être. L'agrégation, tout compte fait, n'était pas plus qu'un symbole. Une façon pour lui d'enterrer officiellement le Bertier rêveur et paresseux qu'il était autrefois et dont il ne voulait désormais plus entendre parler.

Puisque je n'aurais pas de métro avant l'aube, Bertier me proposa de rester là. C'est ainsi qu'on passa le reste de la nuit à discuter, plongés dans la pénombre veloutée de son studio. Mais, peu à peu, nos voix s'éteignirent, jusqu'au chuchotement, et les paroles de Bertier commencèrent tout doucement à se brouiller dans mon esprit. Roulée en boule sur son lit, je me laissai lentement gagner par le sommeil.

J'ignore depuis combien de temps je dormais, peut-être à peine quelques minutes, lorsque je sentis un souffle sur ma nuque ; puis un frôlement ; puis un corps tout entier se blottir contre le mien. Cela faisait près d'un an qu'on ne m'avait pas touchée ; aussitôt, je me souvins que la dernière personne à l'avoir fait avait été Aurélien, et que c'était le matin même de sa mort. Dans un mouvement purement instinctif, mes muscles réagirent en se figeant les uns après les autres. Pendant quelques secondes qui me parurent interminables, aucun de nous deux ne bougea. Je sentais la respiration de Bertier juste derrière moi ; je sentais ce corps contre le mien, mince et nerveux, et dont je mesurais tout à coup la réalité palpable. Une main hésitante se posa sur ma nuque, glissa le long de mon bras, puis enserra ma hanche ; à sa pression, je compris qu'elle m'invitait à me retourner. Mais je restai pétrifiée. Crispée au bord du lit, j'attendais. Incapable de faire face à Bertier. Incapable de retrouver ce que j'avais autrefois appris de la tendresse et du plaisir. Tout entière, je me faisais pierre.

« Je peux t'embrasser ? » murmura-t-il.

Que s'est-il passé au juste ? J'ai dû faire un mouvement imperceptible, comme si quelque chose en moi cédait. En une fraction de seconde, le corps de Bertier s'est glissé sur le mien, et j'ai senti ses lèvres trembler sur ma peau, timides d'abord, puis de plus en plus impatientes, embrasser, gober, mordre chaque parcelle de mon visage, de mes seins et de mon ventre. Je me suis laissé faire. Je n'ai éprouvé ni plaisir, ni douleur. Je m'étonnais simplement de cette situation improbable – Bertier et moi *couchant ensemble*. Je découvrais en lui un amant emporté, presque fougueux s'il n'avait pas été aussi maladroit. Lui si calme, si sévère, lui qui m'avait appris l'ascèse et le contrôle, devenait tout à coup ce corps brusque et nerveux s'agitant sur le mien – comme s'il laissait soudain exploser toute la tension qu'il avait enfouie depuis des mois.

Quand tout fut terminé, il me fit un aveu : il était tombé amoureux de moi le premier soir, ce soir de juin au bord du canal, lorsque je m'étais retournée vers lui et que nous avions commencé à discuter. Il se souvenait de moi à ce moment-là, de cette conversation sur la littérature que nous avions eue tandis que le soleil se couchait et que le côte-de-vaux nous montait à la tête. Et de cette intuition déjà latente au fond de lui, que nous étions faits pour nous comprendre et qu'il pourrait bien passer toute sa vie à mes côtés.

« Cela doit te paraître bien naïf, n'est-ce pas ? Pourtant j'ai toujours su que ce moment viendrait. Même quand tu ne me regardais pas. Même quand je te voyais aimer Aurélien. »

Je ne répondis pas.

Recroquevillée au bord du lit, les bras de Bertier serrés autour de moi, je sentis mon ventre se vriller et quelque chose remonter brusquement en moi, comme un manque, un besoin immédiat. Pendant quelques secondes, je n'ai pas compris de quoi il s'agissait. Et puis je me suis souvenue de l'odeur d'Aurélien ; du goût lacté de sa bouche ; de l'ombre de son corps étendu sur le mien. Pour la première fois depuis des mois, *il me manquait* – d'un manque purement organique, mais si absolu soudain, et douloureux, que j'ai cru hurler lorsque je me suis vue dans les bras de Bertier.

Heureusement, à cet instant précis, ses mains se serrèrent plus fort autour de ma poitrine, comme pour m'aider à mieux étouffer en moi le manque.

« Je sais ce que tu ressens. Ne t'en fais pas. J'attendrai. »

Quelques jours plus tard, un matin de juillet, Bertier fut convoqué pour passer sa leçon d'agrégation ; et c'est ce jour-là, aussi, que je décidai d'envoyer mon manuscrit par la poste pour tenter ma chance auprès d'un éditeur.

Juste avant l'épreuve, nous avons pris ensemble un petit déjeuner place de la Sorbonne. Il était très tôt. Je me souviens du boucan du percolateur derrière nous, et de la pluie qui s'était abattue soudain derrière la vitre. Bertier portait un costume beige légèrement trop grand, qu'on avait acheté en soldes la veille au soir. Il toucha à peine à son café. À côté de moi, l'enveloppe était prête. Pendant de longues minutes, nous sommes restés là, sans parler, à attendre le moment d'y aller. J'avais du mal à croire que nous avions accompli un tel chemin depuis notre rencontre, un an plus tôt. Il me semblait que nous avions déjà vécu deux vies. La première, nous l'avions passée à rire, à boire et à nous saouler de bonheur, guidés par la présence bienfaisante d'Aurélien ; et puis, nous l'avions vu s'effondrer sous nos yeux un matin de septembre, et avec lui tout le socle sur lequel nos certitudes reposaient. Concentrés, obstinés, nous avions ensuite passé ces derniers mois à rassembler les morceaux de notre vie éclatée. Et voilà qu'enfin nous avions terminé. Nous étions allés au bout.

Le carillon de la Sorbonne sonna huit heures. « Je crois qu'il faut y aller », dit Bertier.

Alors, nous sommes sortis. Nous avons marché en silence sous les bourrasques. Les rues étaient presque désertes en ce début d'été pluvieux. Comme nous n'avions qu'un seul parapluie, le costume de Bertier fut légèrement mouillé.

Nous nous sommes arrêtés au bureau de poste de la rue Cujas, et j'ai demandé un recommandé avec avis de réception.

« Advienne que pourra », ai-je simplement dit.

Nous avons continué notre route jusqu'au lycée Henri-IV. Quand nous sommes arrivés devant les grilles de l'entrée, il s'est tourné vers moi et, d'un geste tremblant, il a posé ses lèvres sur les miennes. Elles étaient sèches.

« Bonne chance, Bertier. »

Il m'a regardée, sans rien dire, et il est parti. Je l'ai vu disparaître sous les arcades de la cour, le dos voûté, un peu mal à l'aise dans son veston. Et c'est là que j'ai compris. Tout simplement. Que ma deuxième vie commençait à cet instant, et que c'était peut-être bien avec lui que je la passerais.

Deux semaines plus tard, il était agrégé.

Et c'est à partir de là, seulement, que je l'ai appelé « Tristan ».

Mercredi 16 octobre

Réveil à Oléron. Mer incroyablement lisse ce matin, plane à perte de vue. Impression étrange d'être à la lisière de ma vie.

Je me suis levée à l'aube. Contrairement à ses habitudes, Tristan dort encore – comme si l'air marin l'avait assommé. Alors je suis descendue ici. La salle du petit déjeuner est encore vide. Assise face à la baie vitrée, ma tasse de thé posée sur la table, j'ouvre ce carnet pour la toute dernière fois.

Quand je suis rentrée à l'hôtel hier en fin d'après-midi, Tristan venait à peine d'arriver. Le matin même, en se levant, il avait découvert mon absence et le manuscrit posé sur mon bureau. Il avait commencé à le lire ; et puis, m'a-t-il dit, il n'avait pas hésité une seconde. Il s'était débrouillé pour prendre le premier train jusqu'à La Rochelle, avant de louer une voiture jusqu'ici. Tant pis pour ses rendez-vous de la journée. De toute façon, il avait besoin de faire une pause.

« Tu veux qu'on aille marcher ? » lui ai-je proposé.

Le soir commençait à tomber, et la mer à se retirer lentement sous nos pieds. Côte à côte, visages au vent, nous avons longé le rivage sans rien dire. Je n'osais pas lui demander ce que mon texte avait éveillé en lui ; j'attendais qu'il le fasse de lui-même. Et puis, au bout de quelques minutes, il se lança enfin.

« Quel salaud quand même, ce Schwartz… Bien sûr, il fallait qu'il te charme le premier… »

Et il ajouta, plus sérieusement, qu'il avait plus ou moins deviné ce qui se passait à l'époque entre Aurélien et moi. « Tu te souviens de cette scène dans Mrs. Dalloway, *où Peter comprend que Clarissa épousera Richard et que jamais elle ne l'aimera ? Eh bien c'est exactement ce que j'ai vécu ce soir où tu avais dansé toute la nuit sur la péniche et où, complètement ivre, tu t'étais mise à aguicher Aurélien. Je vous revois tous les deux sortant de la boîte, bras dessus bras dessous, riant aux éclats. J'ai vu le regard qu'Aurélien posait sur toi. Et j'ai compris. Ton texte n'a fait que confirmer ce que j'avais alors pressenti. Et tu sais quoi ? Même après toutes ces années, j'en ai encore eu le cœur brisé. »*

Puis, après quarante-cinq ans de silence, il me raconta ce qui s'était passé ce matin de septembre 1991 ; la dernière fois qu'il avait vu Aurélien vivant.

« Tu ne t'es pas trompée en disant qu'il était taciturne ce jour-là. Moi aussi, je l'avais remarqué quand nous avions pris le petit déjeuner à l'hôtel. Lorsque nous nous sommes éloignés tous les deux sur les

rochers, j'ai su que quelque chose n'allait pas. C'était rare qu'Aurélien soit bougon. Ce matin-là, il ne riait à aucune de mes plaisanteries. Je m'étais lancé dans un de ces monologues absurdes dont j'avais l'habitude, comme pour chasser un malaise. Mais rien n'y faisait. Il restait là, le regard baissé, complètement hermétique.

« Oh, évidemment, au fond de moi j'avais bien une petite idée de ce qui se passait. Même si je n'osais pas me l'avouer. Aurélien et moi, en froid à cause d'une fille ? Bon sang, c'était inédit ! D'habitude nous n'avions même pas à nous poser de questions : les filles, Aurélien les mettait dans son lit ; moi, j'étais condamné au rôle du rêveur, du confident, celui surtout de l'éternel puceau. Les choses en avaient toujours été ainsi ; je m'en accommodais.

« Mais, ce jour-là, j'ai tout de suite compris que les choses seraient différentes. Alors que je me perdais dans mon discours, Aurélien m'a brusquement coupé la parole et il m'a lancé : "Dis voir, Bertier, tu l'aimes vraiment, Laure ? "

« Pris au dépourvu, j'ai bredouillé un truc idiot. Une citation sur l'amour, quelque chose qui ne voulait rien dire. Aurélien m'a regardé ; il avait compris.

« D'une voix résignée, il a répondu : "Vous faites chier, mon vieux..."

« Et à mon tour, j'ai su ce qui se passait.

« Pendant plusieurs secondes, nous n'avons rien dit. Je ne me doutais pas encore que vous aviez déjà passé plusieurs nuits ensemble ; mais je savais bien que,

puisque tu lui plaisais, cela n'allait pas tarder à se produire. Et pour la première fois depuis le début de notre amitié, j'ai senti la rancœur monter en moi. C'est venu sans prévenir. Comme une brûlure. Comment un type comme lui, qui n'avait jamais ouvert un bouquin, qui ne se souciait jamais de rien, pourrait comprendre une fille comme toi ? Je trouvais ça horriblement injuste. Tout à coup, je me suis mis à détester sa légèreté, à la trouver insupportable. J'aurais aimé le traiter de con. Lui hurler à la figure qu'il ne te méritait pas.

« Je n'ai rien fait de tel. J'ai simplement dit, sans même lever les yeux : "Fais ce que tu veux avec elle. Mais, après cela, tu n'entendras plus parler de moi."

« En six ans d'amitié, je n'avais jamais eu pour lui des paroles aussi dures.

« Qu'aurait-il pu me répondre ? Est-ce qu'on se serait disputés ? Est-ce qu'on se serait battus, comme dans les livres ? Nous n'en avons même pas eu le temps. À ce moment là, un cerf-volant s'est échoué à quelques mètres de nous, et nous avons vu un adolescent courir jusqu'à nous pour essayer de le rattraper. Aurélien s'est précipité. Comme s'il sautait sur l'occasion pour éviter la confrontation avec moi. Tu sais comme moi qu'il ne tenait jamais en place ; mais cette fois j'en suis sûr : il y avait dans sa hâte une fébrilité inhabituelle. Et c'est là qu'il est tombé. En un quart de seconde. D'une façon si stupide que, pendant une minute, voyant qu'il ne se relevait pas, j'ai cru qu'il faisait encore le pitre pour dédramatiser la situation. Je lui ai tendu la main avec le

sourire, prêt à lui dire : "Allez mon gars, je plaisantais, on va quand même pas tout gâcher pour une fille." Mais quand j'ai baissé les yeux, le rocher était déjà couvert de sang.

« Tu comprends maintenant pourquoi, pour moi aussi, sa mort a été si ironique.

« Je venais de perdre mon frère. Mon camarade. La seule personne au monde que j'étais capable de faire rire. Le jour où il est mort m'a rendu sérieux à tout jamais.

« Mais, au-delà de l'horreur, il y avait une infime partie de moi qui se satisfaisait d'avoir perdu un rival. Au début, cela m'a seulement traversé l'esprit, rien qu'une seconde. Et puis, c'est revenu. De plus en plus lancinant. Pendant des semaines, cela m'a même complètement obsédé ; comme si quelqu'un d'autre en moi ne cessait pas de me narguer et de me dire : "Alors mon vieux, ça t'arrange toute cette affaire, pas vrai ? Allez, avoue, avoue que le destin a drôlement bien fait les choses !" J'avais beau pleurer Aurélien, je ne pouvais pas m'empêcher d'entendre cette voix et de me dire qu'un jour, peut-être, puisqu'il n'était plus là, tu me regarderais.

« C'est pour cela qu'après sa mort j'ai été si dur avec toi ; que j'ai été incapable de te consoler comme j'aurais dû le faire. Je m'étais fait la promesse de ne pas profiter de la situation pour te séduire – d'ailleurs, je n'avais aucune chance d'y arriver. Alors, après l'enterrement, quand nous sommes rentrés à Paris, je t'ai évitée. Il

ne me restait plus que l'agrégation. Je n'avais pas vraiment envie d'enseigner, mais je n'avais que ça à faire. Je me suis lancé dedans, tête baissée. C'était une façon comme une autre de reprendre le contrôle sur ma vie. De donner un sens à tout ce qui s'était passé.

« Et puis, tu es revenue. L'air de rien, tu t'es accrochée à moi. Et tu as écrit ton premier roman. Tu m'as fait comprendre que, si j'étais doué pour une chose, c'était bien cela : te donner l'impulsion d'écrire. Au fil des mois, j'ai oublié la promesse que je m'étais faite. Le jour où ton livre a été publié, je me suis dit que, tout compte fait, Aurélien n'était peut-être pas mort pour rien. C'est ce qui m'a aidé à faire mon deuil ; à dépasser l'absurdité de sa disparition. En dépit de ce qu'il disait sur les intellectuels, il a fait de moi un éditeur. Et de toi un écrivain. »

Je l'ai écouté sans l'interrompre. Debout à ses côtés, je calquais mes pas sur les siens. Et tandis qu'il parlait, je me souvenais du jeune homme que j'avais connu autrefois, avec ses boucles brunes et son visage d'enfant, et cette façon qu'il avait de parler en faisant de grands gestes, sans jamais terminer ses phrases. Où était-il passé, ce Bertier ? Aujourd'hui, je marchais aux côtés d'un sexagénaire dégarni, au visage anguleux, à la voix grave et posée. Mais, à bien y regarder, je retrouvais en lui cette même énergie fabuleuse, cette force que le temps avait polie et qui m'avait portée tout au long de ces années.

« Je n'ai pas été très indulgente avec toi dans ce texte, dis-je.

— C'est vrai que je passe parfois pour un con… Mais enfin, cela devait bien arriver un jour ou l'autre. »

Alors j'ai pris son bras, et nous avons continué d'avancer jusqu'au ponton. Pendant quelques minutes, nous sommes restés là, serrés l'un contre l'autre, à regarder le ciel se dégager et se confondre peu à peu avec les bancs de sable.

« Et maintenant, qu'est-ce que dit l'éditeur ? »

Il se racla légèrement la gorge.

« Impubliable, n'est-ce pas ? dis-je sans détourner les yeux de l'horizon.

— Ça dépend. Est-ce que tu comptes le terminer ? »

Car, dit-il, du point de vue du lecteur, cela n'était qu'un début.

« On s'attend à lire ton autobiographie, et tout s'arrête brusquement. Que s'est-il passé après la publication du Jeune Homme *? Comment tu as vécu ta vie d'écrivain ? On reste sur notre faim. Si tu veux que je le publie, il faudra aller au bout. Maintenant, c'est à toi de choisir. »*

Je n'ai pas répondu. Comme il commençait à faire froid, nous avons regagné l'hôtel. Nous avons pris notre repas devant la baie ; nous avons bu du vin, nous avons dégusté des fruits de mer, souvent même nous avons ri. Et comme dans notre jeunesse, nous avons fini par nous écrouler dans notre chambre. Nous étions tellement épuisés qu'à peine la nuit tombée, comme deux vieillards bienheureux, nous étions déjà endormis.

Ce matin, au réveil, j'ai immédiatement repensé à ce que m'a dit Tristan.

Et c'est vrai, finalement, que je pourrais continuer.

Dire tout ce qui s'est passé deux ans après, quand (après plusieurs lettres de refus, alors que je n'y croyais plus) un éditeur m'a enfin contactée. Raconter l'excitation, l'euphorie du livre imprimé palpé par mes mains ; les premières dédicaces, affreusement maladroites, et les interviews désastreuses où je perdais tous mes moyens devant les journalistes. Raconter enfin comment Tristan, alors enseignant malheureux dans un lycée du Val-de-Marne, en m'accompagnant aux soirées mondaines et me tirant d'affaire, se fit peu à peu remarquer par les gens du milieu ; jusqu'à ce que mon éditeur lui propose son premier stage au service de presse et que, démissionnant de l'Éducation nationale, il commence sa carrière dans l'édition.

Tout cela, je pourrais l'écrire. Multiplier les anecdotes, parler de mes succès, de mes échecs. Faire de ma vie d'écrivain un roman de plus, que je poserais avec les autres sur l'étagère au-dessus de mon bureau.

Mais je ne le ferai pas.

Je vais bientôt poser ce stylo et refermer ce cahier. Il est temps, à présent, de prendre congé. Tristan aussi, d'ailleurs, me l'a promis hier soir : d'ici quelques mois, le temps de régler les dernières formalités, il prendra sa retraite et cédera les Éditions des Aurores. Que se passera-t-il ensuite ? Parviendrons-nous à vivre tous les deux sans penser aux livres à écrire ou à publier, aux objectifs à atteindre, aux victoires à remporter ? Je n'en sais rien. La soirée d'hier me fait espérer que oui.

Le jour se lève sur la plage. Il va faire beau aujourd'hui. Avant que Tristan n'apparaisse derrière moi et que nous prenions ensemble notre petit déjeuner, je ferme les yeux un instant, et je me souviens de cette soirée au bord du canal Saint-Martin, qu'Anna avait organisée pour fêter le début de l'été. Je revois la couverture étalée sur l'herbe jaunie ; Anna éblouie nous resservant du vin. Je revois ces deux jeunes hommes qui sont arrivés jusqu'à nous, illuminant tout à coup la soirée. À cet instant, je ne sais pas encore que le premier va éveiller en moi le goût de la vie, et que le second va faire de moi un écrivain. Mais c'est à cela, précisément, que tient la magie de ce moment : tout m'est encore possible. L'image que j'ai du bonheur, je la dois à cet instant. À ce goût de vin sur nos lèvres. À cette promesse de vie devant nous. Et quand je me débarrasse de l'armure qui m'enserre et que je laisse mon cœur battre, voilà ce qui me reste : un chahut d'étudiants trinquant au début de l'été, et le rire d'Aurélien au milieu de leurs voix.

Du même auteur :

Respire, Fayard, 2001.

Le Carnaval des monstres, Fayard, 2005.

Composition réalisée par Belle Page

Achevé d'imprimer en mai 2016, en France sur Presse Offset par
Maury Imprimeur – 45330 Malesherbes
N° d'imprimeur : 209155
Dépôt légal 1re publication : juin 2016
LIBRAIRIE GÉNÉRALE FRANÇAISE – 31, rue de Fleurus – 75278 Paris Cedex 06

75/2214/6